SIMPLES *e* SUBLIME

CULINÁRIA VEGETARIANA PARA A VIDA MODERNA

Receitas saborosas, rápidas e fáceis de fazer

Isik Polater e Manju Patel

Tradução de Cristina Cupertino

Edição original:

BRAHMA KUMARIS

Título original: *Pure & Simple – Cooking for a Busy Lifestyle – 108 Tasty and Easy to Make Vegetarian People*

Produção editorial
Editora Alaúde

Consultoria gastronômica
Graça Couto

Revisão
Bia Nunes de Sousa

Impressão e acabamento
Cromosete gráfica e editora ltda

1ª edição, 2011 (1 reimpressão)
Impresso no Brasil

Dados Internacionais de Catalogação na Publicação (CIP)
(Câmara Brasileira do Livro, SP, Brasil)

Polater, Isik
Simples e sublime : culinária vegetariana para a vida moderna : receitas saborosas, rápidas e fáceis de fazer / Isik Polater e Manju Patel ; tradução de Cristina Cupertino. -- São Paulo : Alaúde Editorial, 2011.

Título original: Pure & simple : cooking for a busy lifestyle.
ISBN 978-85-7881-071-9

1. Alimentos vegetarianos 2. Culinária vegetariana 3. Receitas 4. Vegetarianismo I. Patel, Manju. II. Título.

11-01467 CDD-641.5636

Índices para catálogo sistemático:
1. Receitas : Culinária vegetariana : Economia 641.5636

2015
Alaúde Editorial Ltda.
Rua Hildebrando Thomaz de Carvalho, 60
CEP 04012-120 – São Paulo – SP – Brasil
Tel.: (11) 5572-9474
www.alaude.com.br

INTRODUÇÃO

Bem-vindo a um novo conceito de culinária, cujo foco está na simplicidade e na qualidade elevada não só dos ingredientes, mas também do estado de espírito do cozinheiro ao preparar a comida.

O conceito se baseia na convicção de que a comida é muito sensível às vibrações de energia e de que, quando a ingerimos, ingerimos também essas vibrações. Em outras palavras, a comida preparada às pressas irá perpetuar dentro de nós a impressão de que temos de correr. Do mesmo modo, se nos permitirmos sentir irritação, por qualquer que seja o motivo, durante o processo de preparação de um prato, então provavelmente continuaremos com os mesmos sentimentos enquanto a comida estiver no nosso corpo.

Assim, a maneira ideal de preparar comida é com muita calma e poucos pensamentos. Com uma receita simples e de fácil execução é mais provável que isso aconteça. Todas elas são vegetarianas. Os ingredientes devem ser frescos e da estação, sempre que possível. "Coma o que é fresco para manter fresca a sua mente." São receitas fáceis, e, se alguma lhe parecer mais estranha, provavelmente você encontrará a explicação em Ingredientes (ver p. 170). Os métodos de preparo são simples e rápidos, com instruções claras. As receitas foram concebidas para atender ao nosso modo de vida mutável e versátil, com pratos que podem se adaptar a jantares rápidos, lanches "para viagem", almoços levados para o trabalho. A maioria dos pratos também pode se combinar para compor uma refeição principal completa e satisfatória.

Simples e sublime pretende mobilizar o leitor em três níveis: físico, mental e holístico, oferecendo uma nutrição tripla.

No nível físico o livro apresenta receitas testadas que são rápidas e práticas, apropriadas para o pouco tempo de que a maioria das pessoas dispõe.

O livro é instigante porque introduz algumas ideias criativas que podem ser novas tanto para os cozinheiros iniciantes como para os *experts*. E também reconhece que as receitas, como a língua, persistem por gerações, sofrendo constantes mudanças e refinando-se de acordo com os tempos.

No nível holístico o livro mostra que preparar e servir comida não só sustenta o corpo como tem também um significado mais profundo. O modo como escolhemos e compramos os ingredientes, nosso foco e nossa concentração quando preparamos a comida, nosso estado de espírito quando a compartilhamos com outros – tudo isso tem impacto no sabor da comida, seu valor alimentício e em nossa apreciação.

Baseado numa dieta lactovegetariana saudável, *Simples e sublime* atende aos que pensam em se tornar vegetarianos e não sabem por onde começar, além dos vegetarianos de longa data, oferecendo-lhes novidades e variedade culinária.

As duas autoras, Isik Polater e Manju Patel, se reuniram para nos ofertar uma rica herança culinária.

Vinda da Turquia, ponto de encontro do Oriente com o Ocidente e anfitriã de muitas civilizações e culturas antigas, Isik é especializada em pratos como corações de alcachofra em azeite e arroz com berinjela, amêndoas e endro. Engenheira por formação, trabalhou ativamente em empresas nos últimos dezoito anos, e, como resultado disso, suas receitas primam pela precisão e pela praticidade. "Gosto de experimentar minhas receitas e de refiná-las, ao mesmo tempo em que simplifico o método", diz ela. Isik cozinha com muita concentração: "Avalio o aspecto e o cheiro da comida em vez de prová-la enquanto cozinho. Isso aprimora meus sentidos e me põe em maior harmonia com o que estou fazendo".

"Sinto que a cozinha oferece uma oportunidade maravilhosa para a criatividade, e, se trabalharmos com o intelecto aberto, ela nos proporciona uma ligação secreta com quem inventou a receita. Cozinhar significa também entrar em contato com a cultura, avaliá-la e dela participar. Quando cozinhamos e compartilhamos a comida, podemos sentir a felicidade imediata chegar a nós e também aos outros." E qual é o segredo de Isik? "Cozinhar com amor, gostar da atividade e desligar-se dos resultados. Eles serão exatamente como devem ser."

Nascida em Uganda, mas tendo vivido na Inglaterra a maior parte de sua vida, Manju Patel oferece clássicos indianos tradicionais, acrescentando-lhes uma pitada de talento internacional. Casada, tem três filhos adultos. "Ao crescer numa comunidade muito unida, de portas sempre abertas para os amigos, a família e os vizinhos, aprendi desde pequena que compartilhar a comida traz felicidade, amor e unidade. A comida continua tendo um papel importante na minha vida atual, em que cozinhar é um meio de fugir das tensões do cotidiano."

"Venho de uma família extensa, por isso sempre tive oportunidade de experimentar e ser criativa no que considero meu lugar de refúgio. Não sou cozinheira profissional: cozinho por prazer, ouvindo minha música predileta no volume máximo; como sou organizada na cozinha, disponho diante de mim todos os ingredientes antes de começar e trato de lavar tudo enquanto vou cozinhando. Assim como minha mãe me incentivou a ajudá-la na cozinha desde muito cedo, envolvi nessa atividade meus filhos, por saber que o processo pode trazer tanta alegria quanto o seu resultado."

Tanto Isik quanto Manju meditam, praticando há muitos anos a raja ioga. E ambas afirmam que essa prática ajuda-as a lidar com os desafios do cotidiano familiar e do trabalho, além de aprimorar a culinária.

Nossos pensamentos e as vibrações que eles criam na cozinha afetam a comida e, em última instância, quem a come. Somos o que comemos, isso é uma verdade. Se assim é, obviamente nos beneficiamos ao ter os melhores pensamentos e ao pôr na comida a mais alta qualidade de vibrações, assim como os melhores e mais puros ingredientes que encontrarmos, cuidadosamente lavados e limpos, tão frescos quanto possível e cheios de energia e nutrição puras.

Qualquer prato preparado com essa visão tem o acréscimo do ingrediente "X", que torna seu sabor notável. Pense nas refeições que sua mãe ou sua avó preparavam; você nunca viu sopa de legumes ou torta de maçã igual. Por quê? Elas acrescentavam esse ingrediente mágico – o amor.

Assim, para desfrutar plenamente os sabores de *Simples e sublime*, prepare-se antes de pôr mãos à obra. É fundamental planejar. Comece com superfícies de trabalho limpíssimas e disponha ao redor utensílios limpos e brilhantes – honre a "pureza". Depois limpe sua mente. Hoje se dá muita atenção à desintoxicação do corpo; sentar-se em silêncio durante um momento, numa quietude de reflexão, ajuda também a desintoxicar a mente, limpando-a de pensamentos perturbadores.

Em seguida concentre-se na tarefa que tem pela frente, acrescente cada ingrediente com cuidado e bons augúrios para aqueles que irão saborear sua comida e siga com precisão cada passo. Prossiga ordenadamente e sobretudo mantenha a pia sempre limpa e desimpedida. Use o tempo com sabedoria, concentrando-se na tarefa. Não se distraia, por exemplo, com longas ligações telefônicas. Considere a cozinha um espaço espiritual onde se permite que a arte, a alegria e a paixão reinem livres e sem interrupção.

Veja a cozinha como uma experiência prazerosa. Assim você juntará a cada prato aquele ingrediente "X". Antes de servir os frutos do seu trabalho, envie ao Provedor de tudo um agradecimento.

Ao preparar a comida desse modo, você entrará no espírito do livro de receitas *Simples e sublime*. Seus esforços serão simples e os resultados sublimes, deliciosamente puros...

AGRADECIMENTOS

As autoras querem agradecer a todos os que ajudaram na preparação deste livro:

Os que contribuíram com seu tempo e experiência; os que rasparam, picaram e cozinharam; os membros da família que toleraram a cozinha repleta de pratos usados nos testes; os que experimentaram e fizeram recomendações; os que editaram, reformularam as frases e trocaram palavras; os que fotografaram e os que fizeram o design das páginas; os que nos apoiaram e incentivaram o tempo todo. Para todos, nosso agradecimento.

E, acima de tudo, nosso agradecimento cheio de amor Àquele a quem oferecemos os nossos esforços na culinária e na vida, ao Provedor de tudo, Aquele que sustenta e nutre a todos.

Ao longo dos tempos e por todas as regiões geográficas do planeta, a comida sempre foi parte integrante da celebração das festas sagradas, das honras prestadas ao Ser Divino, da partilha do amor dentro da família e entre amigos e vizinhos em todas as ocasiões.

O plantio, o cuidado e a colheita de alimentos sempre suscitaram festas religiosas marcadas pelo sentido do sagrado e pelo reconhecimento de que o processo inteiro não é fruto apenas da criatividade e do esforço humanos, mas também da ajuda dos elementos da natureza e da graça do Ser Divino.

Hoje podemos levar isso um passo à frente. Já não estamos ativamente envolvidos no plantio e na colheita, mas compramos, preparamos, cozinhamos e servimos. Cada passo pode ser executado com atenção e uma consciência mais elevada.

Minha família emigrou para Londres vinda da Índia quando eu tinha oito anos. Aprendi os primeiros passos na minha casa em Londres, observando e ajudando minha mãe na cozinha nos fins de semana. Quando ainda estava na escola havia algumas receitas simples como arroz, lentilha e chai indiano – o chá feito com cardamomo – que eu me orgulhava de preparar.

Quando fiz pela primeira vez o pão indiano roti, ele ficou mais parecido com o mapa da Índia do que com as belas esferas que os *experts* criam. Mas a alegria de criar e produzir coisas que podiam ser oferecidas e compartilhadas foi uma experiência particularmente agradável, e assim continua até hoje.

Minha esperança é que vocês venham a experimentar e se divertir com as receitas reunidas por Isik e Manju – duas pessoas que não são cozinheiras profissionais, mas cozinham de forma simples e sublime.

B. K. Jayanti

Diretora europeia da
Universidade Espiritual Mundial Brahma Kumaris

Sumário

As receitas, em geral, são para 4-6 pessoas. Quando a quantidade for diferente, isso será especificado.

Este capítulo oferece uma saborosa seleção de pratos que podem ser servidos em porções pequenas como entrada, sendo suficientemente leves para não estragar o apetite para o prato principal, ou podem ser preparados em quantidade maior para a refeição principal.

ENTRADAS

Fatias de berinjela com tomate

INGREDIENTES

2 berinjelas descascadas, cortadas em rodelas de 1 cm de espessura

2-3 colheres (sopa) de azeite de oliva

pimenta-do-reino moída na hora a gosto

2 tomates grandes, cortados em rodelas de 1 cm de espessura

sal a gosto

pitadas de tomilho, se possível fresco

pitadas de manjericão seco

PREPARO

1. Preaqueça o forno em temperatura alta (240°C).
2. Coloque as fatias de berinjela em salmoura durante 5 minutos. Aperte-as para retirar o amargor e seque-as com papel absorvente.
3. Coloque as fatias de berinjela numa assadeira untada e regue-as com um pouco de azeite. Tempere com pimenta--do-reino moída na hora e um pouco do tomilho.
4. Coloque por cima as rodelas de tomate e tempere com sal, mais um pouco de tomilho e manjericão.
5. Regue com o restante do azeite e leve ao forno por 15-20 minutos.

Alternativa: quando a berinjela e o tomate estiverem assados, coloque fatias de queijo em cima, deixe-as derreter ligeiramente no forno e então sirva.

Batatas assadas com champignons

INGREDIENTES

3 batatas cortadas em cubos de 1 cm

2 xícaras (chá) de champignons frescos cortados ao meio

1 pimentão vermelho picado em cubos de 1 cm

1 pimentão verde picado em cubos de 1 cm

uma pitada de sal

½ colher (chá) de pimenta-do-reino moída na hora

1 colher (chá) de tomilho

uma pitada de assa-fétida (opcional)

½ colher (chá) de pimenta vermelha em flocos (opcional)

3-4 colheres (sopa) de azeite de oliva

PREPARO

1 Preaqueça o forno em temperatura alta (220°C).

2 Coloque as batatas, os champignons (bem escorridos e enxutos em papel absorvente) e os pimentões numa assadeira funda.

3 Tempere com o sal, a pimenta-do-reino, o tomilho, a assa-fétida, os flocos de pimenta vermelha e o azeite. Misture bem.

4 Coloque a assadeira na prateleira do meio do forno e asse durante 20 minutos.

5 Sirva quente.

Pimentões com champignons

INGREDIENTES

2 xícaras (chá) de champignons frescos

1 colher (sopa) de azeite de oliva

1 colher (sopa) de manteiga

½-1 colher (chá) de pimenta-do-reino moída grosseiramente

1 pimentão amarelo picado em cubos de 1 cm

1 pimentão vermelho picado em cubos de 1 cm

½ colher (chá) de sal

1 colher (chá) de tomilho

1 colher (chá) de orégano

coentro fresco para decorar

PREPARO

1. Lave e seque os champignons com papel absorvente (é importante que eles fiquem bem enxutos para manter o sabor enquanto cozinham). Corte a extremidade dos cabos.
2. Aqueça o azeite e a manteiga numa panela em fogo médio. Adicione os champignons, tempere com a pimenta-do-reino e refogue por alguns minutos em fogo médio/alto. Não acrescente sal nessa etapa, pois assim os champignons terão um sabor mais ativo.
3. Coloque o pimentão amarelo e o vermelho e refogue-os por cerca de 3 minutos.
4. Adicione o sal, o tomilho e o orégano. Abaixe o fogo, tampe e cozinhe por mais 5 minutos. Sirva polvilhado com folhas de coentro.

Alternativa: durante o cozimento acrescente 1 colher (sopa) de massa de tomate, uma pitada de assa-fétida e ½ colher (chá) de pimenta vermelha em flocos.

Cuidar do que eu como significa me tratar com bondade.

Fatias de batata assada com molho de queijo

INGREDIENTES

3-4 batatas descascadas, cortadas em rodelas de 1 cm de espessura

4-5 colheres (sopa) de azeite de oliva

sal e pimenta-do-reino moída na hora a gosto

uma pitada de cominho em pó

6 colheres (sopa) de uma mistura de queijo de minas ralado e iogurte natural

algumas gotas de molho de tomate picante (opcional)

½ colher (chá) de mostarda

uma pitada de assa-fétida (opcional)

endro fresco picado bem miúdo (opcional)

pimenta vermelha em pó a gosto

flocos de pimenta vermelha para decorar

PREPARO

1 Preaqueça o forno em temperatura alta (220°C).

2 Coloque as fatias de batata numa assadeira untada. Regue com o azeite e tempere com sal, pimenta-do-reino e cominho. Leve ao forno na prateleira do meio e asse durante cerca de 15 minutos.

3 Adicione à mistura de queijo e iogurte os demais ingredientes, com exceção dos flocos de pimenta, formando um molho.

4 Ponha o molho sobre as fatias de batata. Polvilhe com os flocos de pimenta e sirva ainda quente.

Ninhos de batata

INGREDIENTES

4 batatas cozidas

sal e pimenta-do-reino a gosto

1 colher (chá) de grãos de coentro moídos

uma pitada de assa-fétida (opcional)

4-5 colheres (sopa) de azeite de oliva

suco de ½ limão

1 colher (sopa) de óleo de girassol

1 cenoura ralada fino, para decorar

½ xícara (chá) de endro fresco picado miúdo

4 colheres (sopa) de iogurte natural

pimenta vermelha em pó, para decorar

PREPARO

1. Amasse as batatas. Tempere com sal, pimenta, coentro moído, assa-fétida, azeite de oliva e suco de limão. Misture com as mãos até obter uma massa suave e homogênea.
2. Modele a massa, formando bolas do tamanho de nozes. Com o polegar faça uma cavidade no centro.
3. Aqueça o óleo de girassol e refogue as cenouras raladas durante 3-4 minutos.
4. Empane os ninhos de batata com o endro picadinho e encha as cavidades com iogurte. Para decorar, salpique a cenoura frita ao redor das cavidades e polvilhe o iogurte com pimenta vermelha em pó.

Caso haja sobras, guarde-as na geladeira.

Salpique de bons augúrios tudo o que você cozinha – e saboreie a diferença.

Omelete sem ovos

INGREDIENTES

- 1 xícara (chá) de rúcula misturada com salsa, picadas bem miúdo
- 1 colher (sopa) de farinha de grão-de-bico (pode ser substituída por farinha de trigo)
- 3 colheres (sopa) de fubá
- 3 colheres (sopa) de iogurte natural
- 3 colheres (sopa) de água
- 2-3 colheres (sopa) de queijo de minas ralado (opcional)
- sal e pimenta-do-reino moída na hora a gosto
- 1 colher (sopa) de manteiga

PREPARO

1. Numa tigela misture todos os ingredientes, exceto a manteiga, até obter uma massa homogênea. Se achar que ficou muito firme, não acrescente mais água, pois no fogo ela irá amolecer.
2. Derreta a manteiga em fogo médio numa frigideira e espalhe-a por todo o fundo. Coloque a massa, disposta numa única porção ou em bolinhas. Frite a omelete dos dois lados até que fique crocante e dourada.

Sirva acompanhada de salada para compor um almoço leve ou no café da manhã.

Com calma e amor os anjos criam uma cozinha acolhedora.

Espinafre ao molho light

PREPARO

1. Cozinhe o espinafre no vapor ou com bem pouca água (cerca de ¼ de xícara de chá) em fogo médio/baixo, com a panela tampada, até ficar macio (cerca de 5 minutos).
2. Escorra o espinafre cozido (não use os cabos grossos, guarde-os para uma sopa). Deixe esfriar, coloque numa tábua e pique bem.
3. Aqueça o azeite (ou a manteiga) numa panela. Adicione a farinha, misture bem e doure por cerca de 4 minutos, até obter um tom creme. Acrescente o espinafre e torne a misturar.
4. Coloque o leite e o sal e cozinhe por 4-5 minutos, mexendo continuamente (o leite pode ser substituído por água).
5. Para o molho, misture o iogurte natural e a assa-fétida numa tigela. Regue com o azeite e polvilhe com a pimenta vermelha em pó.
6. Sirva o espinafre numa travessa, com o molho à parte.

Alternativa: ponha numa travessa o espinafre cozido, cubra com a mistura de iogurte e assa-fétida e decore com azeite e pimenta vermelha em pó.

INGREDIENTES

1 kg de espinafre (cerca de 2 maços)

½ xícara (chá) de azeite de oliva ou 125 g de manteiga

6 colheres (sopa) de farinha de trigo integral

1 xícara (chá) de leite

uma pitada de sal

PARA O MOLHO

1 xícara (chá) de iogurte

uma pitada de assa-fétida (opcional)

1-2 colheres (sopa) de azeite de oliva

1 colher (chá) de pimenta vermelha em pó

Delícia de abobrinha

INGREDIENTES

3 abobrinhas descascadas

¼ de xícara (chá) de farinha de trigo

¼ de xícara (chá) de azeite de oliva

½ xícara (chá) de iogurte natural

½ xícara (chá) de nozes picadas grosseiramente

uma pitada de pimenta vermelha em pó

uma pitada de sal

½ xícara (chá) de endro fresco bem picado

uma pitada de assa-fétida (opcional)

nozes para decorar

PREPARO

1. Cozinhe no vapor as abobrinhas e amasse-as.
2. Doure a farinha no azeite. Adicione as abobrinhas, misture bem e cozinhe em fogo baixo por 2-3 minutos.
3. À parte, misture o iogurte, as nozes picadas, a pimenta vermelha em pó, o sal, o endro picado e a assa-fétida para obter um molho.
4. Acrescente a abobrinha cozida ao molho e misture bem. Decore com nozes e sirva quente.

Saladas verdes, firmes e frescas, com folhas de alface, espinafre e rúcula. As diversas verduras recém-colhidas na horta do mundo podem ser combinadas com lentilha, feijão e nozes e depois regadas com molhos que lhes acrescentam outros sabores sutis.

Um acompanhamento atraente para o prato principal ou um prato saboroso e tentador, que faz as vezes de prato principal. As saladas promovem saúde e oferecem uma variedade de sabores e texturas.

SALADAS

Salada com corações de alcachofra

INGREDIENTES

4 corações de alcachofra congelados

4 colheres (sopa) de azeite de oliva

2 colheres (sopa) de suco de limão espremido na hora

½ colher (chá) de sal

uma pitada de assa-fétida (opcional)

2 colheres (chá) de gergelim tostado

2 colheres (sopa) de endro fresco picado bem miúdo

folhas variadas a gosto

PREPARO

1. Coloque os corações de alcachofra numa panela com ¾ de xícara (chá) de água e um fio de azeite. Tampe e cozinhe em fogo médio por cerca de 10 minutos.
2. Misture bem os ingredientes do molho: o azeite, o suco de limão, o sal e a assa-fétida.
3. Transfira os corações de alcachofra cozidos e escorridos para uma travessa e acrescente folhas variadas a seu gosto.
4. Regue com o molho e polvilhe os corações de alcachofra com o gergelim tostado e o endro picado. Sirva a seguir.

Salada de queijo cottage

INGREDIENTES

1 xícara (chá) de queijo cottage

½ pimentão verde picado bem miúdo

½ pimentão vermelho picado bem miúdo

1 colher (chá) de gergelim preto

1½ colher (chá) de orégano

½ colher (chá) de tomilho

½ colher (chá) de pimenta vermelha em pó

½ pepino descascado e picado em cubinhos

2 tomates médios em cubinhos

2 colheres (sopa) de salsa e hortelã frescas picadas

2-3 folhas de salada picadas fino

4 colheres (sopa) de azeite de oliva

PREPARO

1 Misture delicadamente todos os ingredientes e sirva.

2 Se quiser um sabor mais ácido, acrescente suco de limão.

Combina muito bem com pão de milho.

Procure tornar suas interações com os outros tão harmônicas quanto a perfeita mistura de leite e açúcar.

Salada verde com grão-de-bico

INGREDIENTES

3 xícaras (chá) de alface (qualquer variedade) picada

1 xícara (chá) de grão-de-bico cozido

1 pimentão vermelho picado

3-4 colheres (sopa) de azeite de oliva

1 colher (sopa) de suco de limão

½ colher (chá) de pimenta-do--reino moída

sal a gosto

2 colheres (sopa) de salsa e hortelã picadas fino

1 colher (chá) de pimenta vermelha em flocos

PREPARO

1. Ponha numa tigela as folhas picadas. Acrescente o grão-de-bico e o pimentão vermelho picado.
2. Para o molho, misture bem o azeite, o suco de limão, a pimenta-do--reino e o sal.
3. Despeje o molho sobre a salada. Adicione as ervas bem picadas e misture. Polvilhe com a pimenta vermelha e sirva.

Como variação, adicione à salada grãos de milho cozido.

O lugar de agitar as massas é na cozinha, com bons augúrios.

Salada de rúcula com laranja

INGREDIENTES

2-3 xícaras (chá) de rúcula picada (se as folhas forem grandes)

1 laranja

½ xícara (chá) de nozes picadas grosseiramente

3 colheres (sopa) de azeite de oliva

sal e pimenta-do-reino moída na hora a gosto

PREPARO

1. Disponha a rúcula numa travessa.
2. Retire as raspas da casca da laranja e esprema-a. Polvilhe a rúcula com as raspas de laranja e as nozes.
3. Para fazer o molho, misture bem o suco de laranja, o azeite, o sal e a pimenta-do-reino.
4. Regue a salada com o molho, misture e sirva.

Salada Waldorf

INGREDIENTES

3 xícaras (chá) de alface (qualquer variedade)

1 maçã verde cortada em cubinhos

1 xícara (chá) de milho verde cozido

½ xícara (chá) de nozes picadas grosseiramente

½ xícara (chá) de queijo de minas cortado em cubinhos

½ xícara (chá) de uvas-passas

1-2 colheres (sopa) de vinagre de maçã, ou a gosto

3 colheres (sopa) de azeite de oliva

3 colheres (sopa) de salsa picada fino

PREPARO

Misture delicadamente todos os ingredientes e sirva.

Enquanto cozinha, reabasteça sua energia com os nutrientes da paz e da serenidade.

Salada de espinafre tenro

PREPARO

Misture delicadamente todos os ingredientes e sirva.

INGREDIENTES

3 xícaras (chá) de espinafre bem tenro (use somente as folhas menores) rasgado com as mãos

½ pé de alface-americana rasgado com as mãos

2 tomates cortados ao meio e depois em fatias finas

1 cenoura média ralada fino

10 azeitonas pretas sem caroço

4 colheres (sopa) de queijo de minas ralado grosso

2 colheres (sopa) de salsa e hortelã picadas fino

3 colheres (sopa) de azeite de oliva

Salada de lentilha e arroz

INGREDIENTES

1 xícara (chá) de lentilhas

½ xícara (chá) de arroz

4 colheres (sopa) de azeite de oliva

1 pimentão verde cortado em cubinhos

1 cenoura média ralada fino

2 colheres (sopa) de hortelã fresca picada fino

2 colheres (sopa) de salsa ou coentro frescos picados fino

1 colher (chá) de orégano seco

½ colher (chá) de cominho em pó

sal e pimenta-do-reino moída na hora a gosto

suco de 1 limão

PREPARO

1 Ponha as lentilhas para cozinhar numa panela com bastante água. Acrescente mais água sempre que necessário até as lentilhas ficarem cozidas.

2 Escorra a água que sobrar e ponha as lentilhas numa tigela.

3 Cozinhe o arroz em 1 xícara (chá) de água, acrescentando mais se necessário.

4 Escorra a água que sobrar e misture o arroz às lentilhas na tigela.

5 Adicione os demais ingredientes, misture tudo e sirva.

Uma cozinha é como um laboratório onde posso observar dentro de mim muitas qualidades positivas.

Salada de arroz

INGREDIENTES

1 xícara (chá) de arroz jasmim (ou qualquer outro tipo) cozido e escorrido

2 cenouras médias cozidas e cortadas em cubinhos do tamanho de ervilhas

½ xícara (chá) de milho cozido

½ xícara (chá) de ervilhas cozidas

½ xícara (chá) de alcaparras (opcional)

2 colheres (sopa) de endro fresco picado fino

2 colheres (sopa) de hortelã fresca picada fino

2 colheres (sopa) de salsa ou coentro frescos picados fino

½ colher (chá) de pimenta-do--reino moída na hora

sal a gosto

suco de 1 limão

3-4 colheres (sopa) de azeite de oliva

PREPARO

Misture bem todos os ingredientes e sirva.

A natureza é a melhor cozinheira – de vez em quando coma ao natural o alimento que ela lhe oferece.

Salada russa

INGREDIENTES

4 batatas cozidas na água ou no vapor

2 cenouras cozidas na água ou no vapor

½ xícara (chá) de ervilhas cozidas

½ xícara (chá) de alcaparras

2 colheres (sopa) de salsa bem picada e/ou endro fresco (opcional)

¾-1 xícara (chá) de maionese preparada segundo a receita da p. 128

uma pitada de assa-fétida (opcional)

sal e pimenta-do-reino a gosto

PREPARO

1 Corte as batatas e as cenouras cozidas em cubos de 1 cm e ponha numa tigela.

2 Acrescente as ervilhas cozidas, as alcaparras, a salsa e/ou o endro picados e a maionese. Adicione a assa-fétida, o sal e a pimenta.

3 Misture bem com uma colher.

4 Ponha na geladeira por 10 minutos antes de servir.

A atitude dá sabor à comida – assim, escolha o estado de espírito que você quer servir.

Com muitos sabores e texturas, a sopa pode ser um aperitivo interessante antes do prato principal, uma refeição leve, rápida e nutritiva (uma sopa feita em casa com ingredientes frescos é um "fast-food" saudável) ou, se acompanhada de pão, uma refeição que satisfaz.

SOPAS

Sopa de berinjela e batata

INGREDIENTES

3 batatas médias cozidas na água ou no vapor

2½ xícaras (chá) de água

1 xícara (chá) de leite

uma pitada de cominho em pó

¼ de colher (chá) de gengibre em pó

1 colher (chá) de sal, ou a gosto

½ colher (chá) de pimenta-do--reino, ou a gosto

1 berinjela média sem casca

½ colher (sopa) de manteiga

1 colher (chá) de orégano seco

½ colher (chá) de pimenta vermelha em pó

PREPARO

1 Misture numa tigela as batatas cozidas, a água e o leite com um batedor manual.

2 Acrescente o cominho em pó, o gengibre em pó, o sal e a pimenta--do-reino. Leve ao fogo médio até levantar fervura.

3 Corte a berinjela longitudinalmente em quatro pedaços e pique-os em cubinhos de 2 cm.

4 Aqueça a manteiga numa panela pequena. Adicione a berinjela picada, o orégano, a pimenta vermelha em pó e uma pitadinha de sal. Doure a berinjela em fogo médio por cerca de 5 minutos, até que fique macia.

5 Acrescente os cubinhos de berinjela ao creme de batata. Tampe a panela e deixe descansar por 5-10 minutos. Sirva bem quente.

Como variação, você pode acrescentar lentilhas cozidas, se preferir, na hora de misturar as batatas.

Esta sopa tem um delicioso sabor condimentado.

Sopa de brócolis com croûtons

INGREDIENTES

2 xícaras (chá) de brócolis bem picados

3 batatas em cubos

4 xícaras (chá) de água

1 xícara (chá) de leite

sal e pimenta-do-reino moída a gosto

2 colheres (sopa) de azeite ou 1 colher (sopa) de manteiga

PARA OS CROÛTONS

fatias de pão amanhecido cortadas em cubos de 2 cm

azeite de oliva ou manteiga para dourar

PREPARO

1 Cozinhe os brócolis e as batatas no leite misturado com a água.

2 Com o auxílio de um mixer, triture os legumes.

3 Acrescente sal, pimenta-do-reino e azeite ou manteiga.

4 Para fazer os croûtons, frite os cubos de pão amanhecido em um pouco de azeite ou manteiga até que fiquem dourados e crocantes.

5 Sirva a sopa salpicada com croûtons.

Misture paciência em tudo o que prepara.

Sopa picante e ácida

INGREDIENTES

- 2 colheres (sopa) de azeite de oliva
- 4 colheres (sopa) de vagens picadas miúdo (cerca de 1 cm)
- 4 colheres (sopa) de champignons frescos bem picados
- ½ xícara (chá) de repolho em tiras bem finas
- ½ xícara (chá) de cenoura picada bem fino
- ½ colher (chá) de pimenta vermelha em pó, ou a gosto
- 2 colheres (chá) de molho de soja, ou a gosto
- 1 colher (sopa) de purê de tomate
- 1 colher (sopa) de açúcar
- 1 colher (sopa) de vinagre de maçã
- 1 colher (chá) de sal, ou a gosto
- 3-4 xícaras (chá) de água
- 1 colher (sopa) de amido de milho dissolvido em ½ xícara (chá) de caldo de legumes (opcional)

PREPARO

1. Aqueça o azeite numa panela e refogue ligeiramente as vagens e os champignons.
2. Acrescente o repolho, a cenoura e refogue por mais 2 minutos.
3. Adicione os demais ingredientes e leve ao fogo alto até levantar fervura. Abaixe o fogo e cozinhe por 5 minutos.
4. Se desejar uma consistência mais encorpada, misture à sopa o amido de milho dissolvido no caldo de legumes. Cozinhe por mais 5 minutos em fogo baixo, mexendo com uma colher.
5. Sirva quente.

Sopa-creme de tomate

INGREDIENTES

- 5 tomates médios cortados em pedaços grandes
- 2 colheres (sopa) de azeite de oliva ou 1 colher (sopa) de manteiga
- 2 colheres (sopa) de farinha de trigo
- 2 colheres (sopa) de purê de tomate
- 1 colher (chá) de açúcar
- sal e pimenta-do-reino a gosto
- 4 xícaras (chá) de água
- ¾ de xícara (chá) de creme de leite fresco
- 1 colher (sopa) de salsa fresca picada fino (opcional)
- queijo ralado grosso para decorar (opcional)

PREPARO

1. Bata os tomates no liquidificador.
2. Aqueça o azeite ou a manteiga numa panela. Adicione a farinha de trigo e deixe-a dourar por 2-3 minutos, sempre mexendo.
3. Acrescente os tomates batidos e misture muito bem para garantir uma consistência lisa. Então junte o purê de tomates, o açúcar, o sal e a pimenta-do-reino. Coloque a água e deixe levantar fervura.
4. Adicione o creme e cozinhe em fogo baixo por 2-3 minutos (reserve 1 colher (sopa) do creme de leite para decorar).
5. Polvilhe com a salsa, faça uma espiral com creme de leite e no centro ponha queijo ralado.
6. Sirva quente.

Sopa de abobrinha com endro

INGREDIENTES

5 abobrinhas médias

3 xícaras (chá) de água

1 xícara (chá) de leite

½ colher (chá) de sementes de cominho moídas

uma pitada de gengibre em pó, ou a gosto

sal e pimenta-do-reino moída na hora a gosto

⅓ de xícara (chá) de creme de leite fresco

3 colheres (sopa) de endro fresco picado fino

sementes de cominho tostadas (opcional)

PREPARO

1 Lave as abobrinhas, corte-as em 4-5 pedaços e cozinhe em 2 xícaras (chá) de água.

2 Amasse as abobrinhas e ponha-as de volta na panela. Acrescente o restante da água, o leite, o cominho moído, o gengibre, o sal, a pimenta e leve ao fogo alto até levantar fervura.

3 Adicione o creme de leite e cozinhe em fogo baixo por 2-3 minutos.

4 Junte o endro picado e mexa. Polvilhe com sementes de cominho tostadas, se desejar. Sirva quente.

Para obter uma consistência mais encorpada, pode-se acrescentar às abobrinhas, enquanto cozinham, 1 batata cortada em pedaços.

De vez em quando coma em silêncio – e desfrute o sabor e o efeito.

Sopa de couve-flor com champignons

INGREDIENTES

- 2 xícaras (chá) de couve-flor separada em buquês
- 3 xícaras (chá) de água
- 1 xícara (chá) de leite
- 5-6 champignons frescos grandes
- 1 colher (sopa) de azeite de oliva ou manteiga
- ¼ de colher (chá) de pimenta-do-reino, ou a gosto
- ¼ de colher (chá) de sementes de cominho moídas
- sal a gosto
- 1 colher (sopa) de coentro fresco picado fino (opcional)
- 1 colher (sopa) de salsa fresca picada fino (opcional)
- flocos de pimenta vermelha para decorar

PREPARO

1. Cozinhe a couve-flor em fogo baixo até que fique bem macia. Ponha-a numa tigela, acrescente 2 xícaras (chá) de água e moa com um mixer.
2. Acrescente à mistura o leite e leve ao fogo médio até encorpar.
3. Certifique-se de que os champignons estão bem escorridos e seque-os com papel absorvente (para o seu sabor ficar mais intenso). Retire a extremidade dos cabos e corte-os em fatias entre médias e grossas. Coloque os champignons em outra panela, leve ao fogo alto com azeite ou manteiga e deixe que fiquem dourados.
4. Adicione os cogumelos dourados ao creme de couve-flor. Tempere com a pimenta-do-reino, o cominho e o sal. Leve ao fogo até levantar fervura e desligue imediatamente.
5. Acrescente as ervas frescas, os flocos de pimenta e sirva.

Sopa de cenoura com coentro

INGREDIENTES

2 colheres (sopa) de azeite ou 1 colher (sopa) de manteiga

6 cenouras em cubos de 0,5 cm

1 colher (chá) de gengibre fresco ralado

1-2 colheres (chá) de grãos de coentro moídos

4 xícaras (chá) de água

2 colheres (sopa) de amido de milho

sal e pimenta-do-reino moída a gosto

2-3 colheres (sopa) de coentro fresco picado fino

PREPARO

1 Aqueça o azeite ou a manteiga numa panela e refogue por 3-4 minutos os cubos de cenoura, o gengibre ralado e o coentro moído. Acrescente a água e cozinhe até as cenouras ficarem macias.

2 Ponha o amido de milho numa tigela, adicione 5-6 colheres (sopa) de caldo (tirado da sopa) e mexa até dissolver. Despeje a mistura de volta na panela e mexa durante alguns minutos. Isso encorpará a sopa – se você a preferir mais rala, omita esse passo.

3 Tempere com sal, pimenta e coentro fresco picado. Cozinhe em fogo baixo durante mais alguns minutos e sirva quente.

Seja criativo na cozinha: siga ora a receita, ora o seu coração.

Sopa de couve com molho branco

INGREDIENTES

- 4 xícaras (chá) de couve picada (com os caules)
- 6 xícaras (chá) de água
- ½ colher (chá) de bicarbonato de sódio
- 2 colheres (sopa) de azeite de oliva ou manteiga
- ½ xícara (chá) de trigo para quibe
- ¾ de xícara (chá) de grãos de milho verde
- 1 xícara (chá) de feijão-fradinho cozido
- 1 colher (chá) de sal e pimenta-do-reino moída grosso, ou a gosto
- 4 colheres (sopa) de iogurte natural
- 2 colheres (sopa) de fubá

PREPARO

1. Cozinhe a couve picada em 4 xícaras (chá) de água com o bicarbonato de sódio (que mantém a couve muito verde).
2. Acrescente as 2 xícaras (chá) de água restantes, o azeite ou a manteiga, o trigo para quibe, o milho, o feijão, o sal e a pimenta-do-reino e cozinhe por mais 10 minutos.
3. À parte, em uma tigela, misture o iogurte e o fubá. Adicione lentamente cerca de 1 xícara (chá) do caldo da sopa retirado da panela, mexendo até que fique liso. Junte essa mistura ao restante da sopa e deixe ferver por mais 5-10 minutos. Sirva quente.

OBSERVAÇÕES

Você pode usar arroz ou semolina própria para cuscuz marroquino em vez de trigo para quibe, e espinafre, em vez de couve.

Ajuste a pimenta-do-reino, o azeite e o sal conforme o seu gosto.

Sopa de champignons

INGREDIENTES

20 champignons grandes frescos

2 colheres (sopa) de azeite de oliva ou 1 colher (sopa) de manteiga

pimenta-do-reino moída a gosto

4 xícaras (chá) de água

1 xícara (chá) de leite

sal a gosto

2 colheres (sopa) de amido de milho

1 colher (sopa) de uma mistura de salsa e endro frescos bem picados ou qualquer outra erva fresca

PARA OS CROÛTONS

fatias de pão amanhecido cortadas em cubos de 2 cm

azeite de oliva ou manteiga para dourar

PREPARO

1. Certifique-se de que os champignons estão bem escorridos e seque-os com papel absorvente (para o seu sabor ficar mais pronunciado). Retire a extremidade dos cabos e corte os champignons em fatias médias.
2. Aqueça o azeite ou a manteiga numa panela. Acrescente os champignons, tempere com pimenta-do-reino e doure durante 2 minutos.
3. Adicione a água, o leite e o sal. Leve ao fogo e cozinhe até ferver. Retire ½ xícara (chá) do caldo da sopa e deixe esfriar.
4. À parte, numa tigela pequena, coloque o amido de milho. Acrescente o caldo da sopa já frio e misture até o amido se dissolver.
5. Junte essa mistura ao restante da sopa e mexa continuamente até voltar a ferver.
6. Cozinhe em fogo baixo durante mais 2 minutos, mexendo com frequência, e adicione as ervas frescas picadas.
7. Para fazer os croûtons, frite os cubos de pão amanhecido em um pouco de azeite ou manteiga até que fiquem dourados e crocantes.
8. Sirva a sopa salpicada com croûtons.

A coleção de receitas apresentada nesta seção mostra como é variado o cardápio vegetariano. Há uma vasta opção de verduras, legumes, sementes e grãos.

Ingredientes frescos selecionados e uma profusão de ervas e temperos exóticos (ver pp. 170 a 175) estão disponíveis para a cozinha vegetariana inteligente e imaginativa.

Muitas pessoas foram atraídas pela cozinha vegetariana devido à grande variedade de experiências gustativas e a seus odores sutis.

PRATOS PRINCIPAIS E ACOMPANHAMENTOS

INGREDIENTES

2 colheres (sopa) de azeite de oliva

1 pimentão verde picado bem fino

1 cenoura cortada em palitinhos

1 xícara (chá) de proteína de soja texturizada

½ colher (sopa) de sal

½ colher (sopa) de pimenta-do-reino moída na hora

½ colher (chá) de tomilho

½ colher (chá) de pimenta vermelha moída

uma pitada de cominho em pó, ou a gosto

uma pitada de assa-fétida (opcional)

⅓-½ xícara (chá) de água quente

25 couves-de-bruxelas

1 xícara (chá) de folhas de rúcula picadas fino

Couve-de-bruxelas com almôndegas de carne de soja

1 colher (sopa) de sementes de linhaça embebidas em algumas colheres (sopa) de água quente

5-6 colheres (sopa) de massa de tomate

óleo suficiente para fritar

1 xícara (chá) de água quente (para o molho)

PREPARO

1. Ponha o azeite numa panela e leve-a ao fogo médio/alto. Acrescente o pimentão verde picado e refogue por alguns minutos.
2. Adicione os palitinhos de cenoura e refogue por mais 1-2 minutos. Coloque a proteína de soja texturizada, o sal, a pimenta-do-reino, o tomilho, a pimenta vermelha, o cominho, a assa-fétida e mexa bem.
3. Refogue a mistura por alguns minutos, mexendo às vezes. Acrescente água quente em quantidade suficiente e tampe a panela. Deixe a carne de soja cozinhar em fogo baixo por 5-10 minutos.
4. Em outra panela aqueça um pouco de azeite. Junte as couves-de-bruxelas e refogue-as rapidamente em fogo médio/alto. Adicione só um pouquinho de água e tempere com sal e pimenta. Tampe a panela e deixe que cozinhem em fogo baixo.
5. À parte, coloque numa tigela o refogado de carne de soja. Acrescente a rúcula picada, a linhaça embebida em água e metade da massa de tomate. Amasse até obter uma mistura bem homogênea.
6. Com as mãos, modele a carne formando almôndegas pequenas. Frite-as em bastante óleo quente. Quando estiverem douradas, retire-as e deixe escorrer bem. Então transfira-as para uma travessa forrada com papel absorvente.
7. Para o molho, misture em uma panela a massa de tomate restante e a água quente. Adicione as couves-de-bruxelas e as almôndegas fritas. Cozinhe por 5-10 minutos e sirva.

Hambúrgueres de arroz

INGREDIENTES

- 1 xícara (chá) de arroz cozido
- 1 xícara (chá) de lentilhas cozidas
- ½ xícara (chá) de nozes picadas grosseiramente
- 1 colher (sopa) de iogurte natural
- 1 colher (chá) de sal
- 1 colher (chá) de pimenta-do--reino
- 2 colheres (sopa) de salsa ou coentro frescos, bem picados
- ½ xícara (chá) de farinha de trigo, para a massa
- 1½ xícara (chá) de água, para a massa
- óleo de girassol em pequena quantidade, para fritar

PREPARO

1. Numa tigela misture o arroz, a lentilha, as nozes, o iogurte, o sal, a pimenta-do-reino e a salsa (ou o coentro). Forme hambúrgueres grandes, ovais e achatados.
2. Em outra tigela, misture a farinha de trigo e a água até obter uma massa meio líquida (de consistência semelhante à de panqueca).
3. Acrescente a essa massa as especiarias que preferir (assa-fétida, cominho em pó, pimenta vermelha em pó, por exemplo).
4. Em uma frigideira, aqueça um pouco de óleo (não muito), em fogo médio/alto.
5. Empane os hambúrgueres nessa massa e frite-os dos dois lados. Quando estiverem dourados, retire-os e deixe que escorram em uma peneira.
6. Transfira-os para uma travessa forrada com papel absorvente, para retirar o excesso de óleo. Sirva-os quentes ou em temperatura ambiente.

Alternativa: pode-se usar avelãs ou sementes de girassol para substituir as nozes, ou uma mistura de ambas, ou ainda qualquer outra castanha de sua preferência ou que esteja disponível.

Arroz com tomate e vagem

INGREDIENTES

4 colheres (sopa) de azeite de oliva

3 xícaras (chá) de vagens picadas miúdo (cerca de 1 cm)

1 colher (chá) de sal, ou a gosto

½ colher (chá) de pimenta-do-reino, ou a gosto

3 tomates médios cortados em cubos grandes

1 xícara (chá) de arroz

1 ½ xícara (chá) de água quente (aproximadamente)

PREPARO

1. Ponha o azeite numa panela e refogue em fogo alto as vagens picadas. Tempere com sal e pimenta.
2. Tampe a panela, abaixe o fogo para médio e cozinhe durante 5 minutos.
3. Acrescente os tomates em cubos, o arroz e a água quente (suficiente para cobrir o arroz). Tampe e cozinhe por cerca de 15 minutos.
4. Verifique se o arroz precisa de mais água e, se necessário, vá acrescentando água quente em pequenas quantidades.
5. Desligue o fogo e deixe o arroz repousar por 10-15 minutos antes de servir.

Você pode servir este arroz acompanhado de iogurte natural, para compor uma refeição leve, ou com os hambúrgueres tipo falafel (ver p. 104).

Hambúrgueres de lentilha

INGREDIENTES

- 2-3 pimentas verdes ou 1 pimentão verde picados bem miúdo
- 3 colheres (sopa) de azeite de oliva
- 2 tomates médios em cubos
- 1 colher (chá) de sal, ou a gosto
- 1 colher (chá) de pimenta-do-reino, ou a gosto
- 2 xícaras (chá) de lentilhas cozidas
- 2 colheres (sopa) de fubá + ½ xícara (chá) de semolina fina + 2 colheres (sopa) de farinha de grão-de-bico
- 1 colher (chá) de cominho em pó
- 3 colheres (sopa) de salsa ou coentro bem picados
- fubá suficiente para empanar os hambúrgueres
- óleo de girassol em pequena quantidade, para fritar

PREPARO

1. Refogue as pimentas verdes ou o pimentão no azeite por 2-3 minutos. Adicione os tomates, o sal, a pimenta-do-reino e cozinhe por mais 3 minutos em fogo alto.
2. Acrescente as lentilhas cozidas, tampe e cozinhe por cerca de 10 minutos em fogo médio.
3. Deixe a mistura esfriar e então acrescente o fubá, a semolina, a farinha de grão-de-bico, o cominho e a salsa ou o coentro picados. Amasse bem e, se necessário, coloque mais fubá até dar liga.
4. Molde os hambúrgueres e empane-os com fubá.
5. Aqueça o óleo de girassol (não use muito) em uma frigideira e, em fogo médio/alto, frite os hambúrgueres dos dois lados.
6. Ponha os hambúrgueres fritos em papel absorvente para retirar o excesso de óleo. Sirva quente ou morno.

Como acompanhamento sirva arroz e/ou salada.

Hambúrgueres orientais

INGREDIENTES

3 batatas médias sem casca, cozidas

½ colher (chá) de sal, ou a gosto

1 colher (chá) de tomilho

1 colher (chá) de cominho em pó

½ xícara (chá) de semolina fina

2 colheres (sopa) de manteiga

16 champignons frescos cortados em tiras médias

1 colher (chá) de pimenta-do--reino

uma pitada de assa-fétida (opcional)

3 colheres (sopa) de salsa picada fino

½ xícara (chá) de farinha de trigo, para empanar os hambúrgueres

óleo de girassol em pequena quantidade, para fritar

PREPARO

1 Amasse as batatas, ainda quentes, numa tigela e acrescente o sal, o tomilho, o cominho e a semolina (o calor das batatas vai amaciar a semolina). Misture bem, cubra e deixe repousar por cerca de 10 minutos.

2 Leve uma panela ao fogo alto e ponha a manteiga, os champignons fatiados (certifique-se de que estejam bem escorridos e enxutos em papel absorvente), a pimenta-do-reino e a assa-fétida.

3 Doure os champignons durante 5-7 minutos, até que fiquem marrons (não salgue nessa etapa, pois o sal os fará liberar água).

4 Acrescente o refogado de champignons e a salsa picada à mistura de batata. Corrija o sal e misture bem. Forme hambúrgueres e empane-os com farinha de trigo.

5 Frite os hambúrgueres dos dois lados numa frigideira com um pouco óleo de girassol (não use muito).

6 Ponha os hambúrgueres fritos em papel absorvente para eliminar o excesso de óleo. Sirva quente ou morno.

Como acompanhamento sirva uma salada mista.

Batatas com erva-doce e amendoins

INGREDIENTES

- 3-4 colheres (sopa) de óleo de girassol
- 1 colher (chá) de sementes de mostarda
- ½ colher (chá) de assa-fétida
- 2-3 colheres (sopa) de amendoins
- 2 bulbos de erva-doce (funcho) cortados em pedaços de 4 cm de comprimento e 1 cm de largura
- 2-3 pimentas verdes picadas bem miudinho (opcional)
- 2 batatas cortadas no sentido do comprimento, em palitos de 1 cm de largura
- 5-6 colheres (sopa) de farinha de grão-de-bico tostada em 2 colheres (sopa) de óleo durante 2 minutos
- 1-2 colheres (chá) de uma mistura de sementes de cominho e de coentro moídas
- 2 colheres (sopa) de suco de limão
- 1-2 colheres (sopa) de coentro fresco picado fino

PREPARO

1. Aqueça o óleo numa frigideira de tamanho médio. Quando estiver quente acrescente as sementes de mostarda e tampe.
2. Quando elas tiverem estourado, junte a assa-fétida e doure por alguns segundos. Adicione os amendoins e frite por 1 minuto. Então acrescente a erva-doce picada e misture bem.
3. Deixe a erva-doce cozinhar por alguns minutos e junte a pimenta verde e a batata. Misture, tampe a panela e abaixe o fogo.
4. Deixe cozinhar, mexendo de vez em quando, até a batata ficar macia, acrescentando 1 colher (sopa) de água quando necessário.
5. Adicione a farinha de grão-de-bico tostada, mexa, tampe e deixe-a cozinhar por uns 2 minutos, ainda em fogo baixo e mexendo de vez em quando para garantir que não grude no fundo. Então junte a mistura de sementes de cominho e de coentro moídas.
6. Tire do fogo, acrescente o suco de limão e polvilhe com o coentro picado.

Este prato pode ser servido quente ou frio.

Farfalle com couve-flor e champignons

INGREDIENTES

1 couve-flor pequena cortada em buquezinhos

água para cozinhar o farfalle (2-3 litros)

1 colher (chá) de sal

2 xícaras (chá) de macarrão tipo farfalle

¼ de xícara (chá) de azeite de oliva

10-12 champignons frescos cortados em quatro

1 colher (chá) de pimenta-do--reino, ou a gosto

uma pitada de assa-fétida (opcional)

3 colheres (sopa) de folhas de salsa picadas fino

½ colher (chá) de flocos de pimenta vermelha

queijo ralado (para polvilhar)

PREPARO

1. Cozinhe no vapor os buquezinhos de couve-flor até que fiquem macios.
2. Numa panela grande leve cerca de 3 litros de água para ferver. Junte à água fervente o sal, o macarrão e cozinhe até que ele fique al dente, – ou seja, macio, mas bem firme (9-12 minutos ou de acordo com as instruções da embalagem). Escorra a água.
3. Aqueça o azeite numa panela grande em fogo médio. Acrescente os champignons (certifique-se de que estejam bem escorridos e enxutos em papel absorvente), a pimenta-do-reino e a assa-fétida. Refogue por 5 minutos.
4. Acrescente o macarrão, a couve-flor e corrija o sal. Mexa delicadamente e cozinhe em fogo médio por poucos minutos. Junte os flocos de pimenta vermelha e a salsa picada.

Polvilhe com queijo ralado e sirva acompanhado de uma salada.

Espinafre com pinoli e uvas-passas

INGREDIENTES

2 colheres (sopa) de uvas-passas

3 colheres (sopa) de azeite de oliva

uma pitada de assa-fétida (opcional)

2 maços de espinafre picado

3 colheres (sopa) de pinoli tostados

1 colher (sopa) de suco de limão

raspas de casca de limão-siciliano para decorar (opcional)

sal e pimenta a gosto

PREPARO

1 Mergulhe as uvas-passas numa tigela com água fria durante 10 minutos; seque-as e reserve.

2 Aqueça o azeite em fogo médio numa frigideira grande. Acrescente a assa-fétida. Depois de alguns segundos junte o espinafre e cozinhe, mexendo durante 1 minuto, até as folhas ficarem murchas.

3 Adicione os pinoli tostados, o suco de limão, as raspas de limão e as uvas-passas. Tempere com sal e pimenta e sirva.

Alternativa: os pinoli podem ser substituídos por castanhas-de-caju, avelãs ou amendoins.

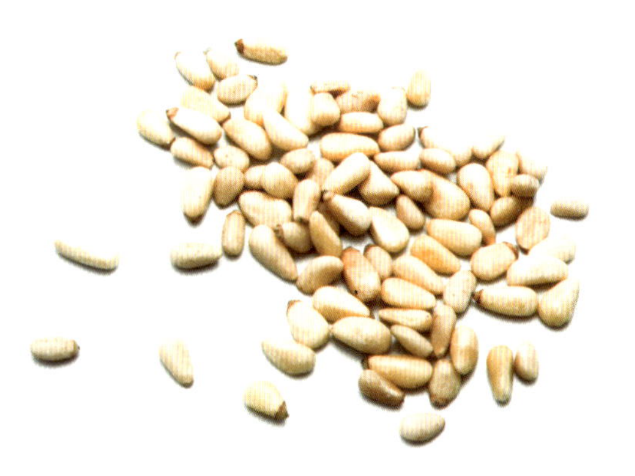

Tagliatelle com nozes e queijo

INGREDIENTES

água para cozinhar o macarrão (2,5 litros)

250 g de macarrão tipo tagliatelle

2 colheres (sopa) de manteiga

½ colher (chá) de sal, ou a gosto

½ colher (chá) de pimenta-do-reino, ou a gosto

1 xícara (chá) de queijo de minas fresco ralado grosso

1 xícara (chá) de nozes picadas grosseiramente

½ xícara (chá) de salsa picada bem fino (ou qualquer outra erva fresca)

PREPARO

1 Numa panela grande leve cerca de 2,5 litros de água para ferver. Junte à água fervente um pouquinho de sal, o tagliatelle e cozinhe até que ele fique al dente, ou seja, macio, mas ainda firme. Escorra a água.

2 Imediatamente após escorrer a água acrescente a manteiga, tempere com sal e pimenta-do-reino e misture bem.

3 Então adicione o queijo de minas, as nozes e a salsa picada. Misture delicadamente e sirva

Alternativa: esta receita pode ser preparada com qualquer outro tipo de massa.

Passe um tempo tranquilo enquanto trabalha na cozinha e você acabará se conhecendo melhor e gostando mais de si.

Cozido de couve

INGREDIENTES

3 colheres (sopa) de azeite de oliva

½ colher (chá) de pimenta-do--reino moída grosso, ou a gosto

3 pimentas verdes ou 1 pimentão verde picados bem miúdo

1 cenoura cortada em cubinhos

2 batatas cortadas em cubinhos

4 xícaras (chá) de couve picada

⅓ de xícara (chá) de arroz

1 colher (chá) de sal, ou a gosto

⅓ de colher (chá) de bicarbonato de sódio

½ xícara (chá) de água fervente

iogurte natural para acompanhar (opcional)

PREPARO

1. Aqueça o azeite numa panela, acrescente a pimenta-do-reino e as pimentas verdes ou o pimentão. Refogue durante 2 minutos.
2. Adicione a cenoura e as batatas e refogue por mais 2 minutos.
3. Acrescente a couve, o arroz, o sal e o bicarbonato (o bicarbonato ajuda a manter a couve bem verde). Mexa e abaixe o fogo.
4. Tampe a panela e cozinhe durante 15 minutos. Verifique se o arroz está cozido e, se for necessário mais tempo de cozimento, coloque um pouco mais de água fervente. Quando o arroz estiver desmanchando entre seus dedos, apague o fogo.
5. Sirva acompanhado de iogurte.

Alternativa: você pode usar acelga ou espinafre em vez de couve.

Repolho e maçã sautés

INGREDIENTES

2 colheres (sopa) de azeite de oliva

uma pitada de assa-fétida (opcional)

½ colher (chá) de açúcar

sal e pimenta-do-reino

1 repolho médio dividido ao meio, sem o miolo e cortado em fatias muito finas

1 maçã doce grande, sem sementes, cortada em fatias muito finas

1 colher (sopa) de vinagre de maçã

1-2 colheres (sopa) de nozes picadas grosseiramente

PREPARO

1. Aqueça o azeite numa panela grande, junte a assa-fétida, o açúcar, o sal e a pimenta-do-reino. Acrescente o repolho e refogue até ele ficar transparente e começar a escurecer.
2. Adicione as fatias de maçã e refogue por mais alguns minutos ou até começar a chiar.
3. Dê uma borrifada de vinagre, misture, tampe a panela e apague o fogo.
4. Verifique o tempero, acrescente as nozes e sirva. Quente, morno ou em temperatura ambiente, este prato é delicioso.

Em vez de misturar sentimentos e atrapalhar um cozido, sirva uma travessa de tranquilidade.

Cozido rápido de queijo e tomate

INGREDIENTES

- 3 colheres (sopa) de azeite de oliva
- 2 pimentas verdes ou 1 pimentão verde picados
- ½ pimentão vermelho picado
- 3 tomates cortados em fatias
- ¼ de colher (chá) de sal, ou a gosto
- ¼ de colher (chá) de pimenta-do--reino moída, ou a gosto
- 4-5 fatias de queijo de minas
- 1-2 colheres (sopa) de ervas frescas (salsa, manjericão ou hortelã frescos, a gosto)

PREPARO

1. Aqueça o azeite numa frigideira larga e refogue as pimentas ou o pimentão verde e o pimentão vermelho durante 2 minutos.
2. Distribua por cima as fatias de tomate e tempere com o sal e a pimenta-do-reino.
3. Tampe a frigideira e deixe refogar por 5-7 minutos em fogo médio.
4. Cubra as fatias de tomate com o queijo de minas e polvilhe com as ervas frescas.
5. Torne a tampar e cozinhe por mais 2-3 minutos, depois apague o fogo.
6. Mantenha tampado por mais 5 minutos, para o queijo ficar bem derretido.
7. Sirva com pão.

Esta receita é saborosa e muito rápida.

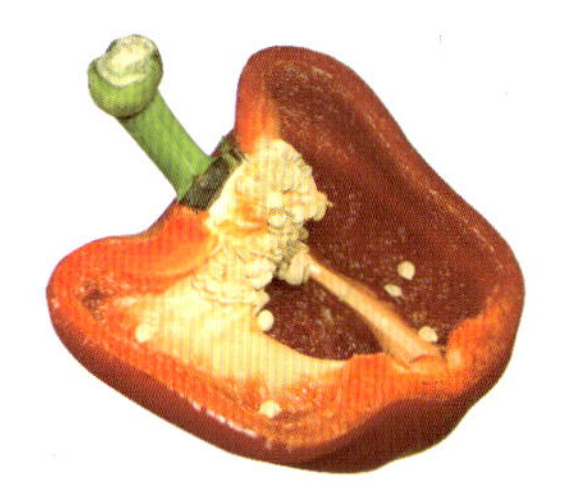

Corações de alcachofra em azeite

INGREDIENTES

3 colheres (sopa) de azeite de oliva

½ colher (chá) de pimenta-do--reino moída grosso

¾ de xícara (chá) de ervilhas (frescas ou congeladas)

2 cenouras cortadas em cubos de 1 cm

3 batatas médias cortadas em cubos de 1 cm

4 corações de alcachofra congelados

1 colher (chá) de sal, ou a gosto

½ xícara (chá) de água quente

2 colheres (sopa) de uma mistura de endro e salsa frescos picados bem fino

PREPARO

1 Aqueça o azeite numa panela. Acrescente a pimenta-do-reino, as ervilhas, os cubos de cenoura e de batata e refogue por 2 minutos.

2 Adicione os corações de alcachofra (já descongelados) e o sal e refogue por mais 2 minutos.

3 Abaixe o fogo, tampe a panela e cozinhe por 15-20 minutos. De vez em quando verifique o cozimento, mexa e, quando necessário, acrescente um pouquinho de água quente (os legumes ficam mais saborosos quando cozidos em fogo baixo, em seu próprio vapor).

4 Polvilhe com as ervas frescas e sirva quente ou frio.

Uma pitada de humor torna mais leve qualquer situação.

Cozido de berinjela e pimentão

INGREDIENTES

2 berinjelas médias cortadas em cubos de 2 cm

5-6 colheres (sopa) de azeite de oliva

uma pitada de assa-fétida (opcional)

1 pimentão verde e 1 vermelho, picados em quadrados de 2 cm

2-3 tomates cortados em cubos graúdos

3-4 colheres (sopa) de vinagre de maçã, ou a gosto

2 colheres (chá) de açúcar

½ colher (chá) de sal, ou a gosto

½ colher (chá) de pimenta-do-reino moída, ou a gosto

PREPARO

1. Mergulhe os cubos de berinjela em salmoura por 5-10 minutos. Escorra a água e esprema delicadamente os cubos de berinjela (para retirar o amargor).
2. Aqueça 3-4 colheres (sopa) do azeite de oliva numa panela, em fogo médio/alto.
3. Acrescente a assa-fétida e, depois de alguns segundos, os pimentões. Refogue durante 2 minutos.
4. Adicione a berinjela espremida, os tomates, o vinagre, o açúcar, o sal e a pimenta (lembre que a berinjela já tem sal).
5. Abaixe o fogo, tampe a panela e cozinhe por cerca de 15 minutos.
6. Apague o fogo e regue com 1-2 colheres (sopa) do azeite de oliva.
7. Sirva quente ou frio.

Esta berinjela agridoce é um prato típico da culinária turco/mediterrânea que, acompanhado de pão e iogurte natural ou de um arroz simples, pode ser servido como um almoço leve.

Macarrão com molho à l'arrabbiata

PREPARO

PARA O MOLHO À L'ARRABBIATA

1 Aqueça o azeite numa panela.

2 Quando estiver quente, adicione a assa-fétida, as pimentas ou o pimentão, a cenoura, o sal e a pimenta-do-reino. Refogue por 2 minutos em fogo alto e então acrescente a proteína de soja texturizada.

3 Coloque a água quente, misture bem e tampe a panela. Abaixe o fogo e deixe cozinhar por cerca de 5 minutos, mexendo de vez em quando para evitar que grude.

4 Adicione o orégano e o cominho moído, torne a misturar e apague o fogo.

PARA O MACARRÃO

1 Numa panela grande leve cerca de 3 litros de água para ferver.

2 Junte à água fervente o sal e o macarrão e cozinhe até que ele fique al dente, ou seja, macio, mas ainda firme (8-10 minutos ou de acordo com as instruções da embalagem).

3 Escorra a água.

(É melhor servir o macarrão imediatamente, para evitar que ele continue cozinhando em seu próprio calor e para que não grude. Se isso não for possível, reserve parte da água do cozimento para acrescentar ao macarrão a fim de aquecê-lo antes de servir.)

PARA O MOLHO DE MANTEIGA PICANTE

Numa panela pequena aqueça a manteiga. Acrescente a assa-fétida, a pimenta vermelha moída e a hortelã seca. Misture e apague o fogo.

PARA SERVIR

Sirva o macarrão com molho à l'arrabbiata. Por cima, coloque o iogurte natural e uma borrifada do molho de manteiga picante.

INGREDIENTES

PARA O MACARRÃO

água para cozinhar o macarrão (cerca de 3 litros)

2 xícaras (chá) de macarrão a sua escolha

1 colher (chá) de sal

1 xícara (chá) de iogurte natural, para a hora de servir

MOLHO DE MANTEIGA PICANTE

1 colher (sopa) de manteiga

uma pitada de assa-fétida (opcional)

1 colher (chá) de pimenta vermelha moída

1 colher (chá) de hortelã seca

MOLHO À L'ARRABBIATA

2 colheres (sopa) de azeite de oliva

uma pitada de assa-fétida

3 pimentas verdes ou 1 pimentão verde picados fino

1 cenoura em cubos miudinhos

½ colher (chá) de sal, ou a gosto

½ colher (chá) de pimenta-do-reino, ou a gosto

1 xícara (chá) de proteína de soja texturizada

½ xícara (chá) de água quente

½ colher (chá) de orégano

uma pitada de cominho moído

Abobrinha e cenoura com arroz

INGREDIENTES

- 2-3 colheres (sopa) de azeite de oliva
- 1 erva-doce (funcho) picada fino (opcional)
- 3 cenouras sem casca, cortadas em cubos de 2 cm
- 4 abobrinhas médias, cortadas em cubos de 2 cm
- ⅓ de xícara (chá) de arroz
- sal e pimenta-do-reino a gosto
- ¼ de xícara (chá) de água fervente
- 1 colher (chá) de endro fresco picado fino
- 1 colher (sopa) de hortelã fresca picada fino

PREPARO

1. Aqueça o azeite numa panela em fogo médio/alto. Acrescente a erva-doce picada e refogue durante alguns minutos.
2. Adicione a cenoura e refogue por mais 1-2 minutos, então junte a abobrinha, o arroz e tempere com sal e pimenta-do-reino. Misture bem e deixe refogar por mais 2 minutos.
3. Acrescente a água fervente, abaixe o fogo, tampe a panela e deixe os legumes e o arroz cozinharem em seu próprio vapor.
4. Mexa de vez em quando e verifique o cozimento (quando necessário, adicione mais um pouquinho de água fervente). Mantenha a panela tampada até o fim do cozimento, que deverá ocorrer em 15-20 minutos.
5. Quando os legumes estiverem macios, apague o fogo. Acrescente o endro fresco e a hortelã, misture e tampe por mais 5 minutos.

Alternativa: você pode acrescentar tomates junto com a abobrinha, para dar um sabor e uma cor diferentes.

Este prato pode ser servido quente, morno ou frio. Você pode servi-lo com iogurte ou cacik com endro (ver p. 130).

Abobrinha ao creme

INGREDIENTES

2 colheres (sopa) de azeite de oliva

uma pitada de assa-fétida (opcional)

pimenta-do-reino a gosto

1 pimentão verde picado em quadrados de 1 cm

1 pimentão vermelho picado em quadrados de 1 cm

3 abobrinhas grandes, cortadas longitudinalmente ao meio e depois picadas em pedaços de 1 cm de largura

½ colher (chá) de açúcar cristal

sal a gosto

3 colheres (sopa) de farinha de trigo comum ou integral

¾ de xícara (chá) de creme de leite fresco

1 xícara (chá) de queijo de coalho ralado grosso

3-4 colheres (sopa) de salsa ou coentro picados fino

½ xícara (chá) de leite

PREPARO

1. Preaqueça o forno em temperatura média (180°C).
2. Aqueça o azeite numa panela. Acrescente a assa-fétida e a pimenta-do-reino. Depois adicione os pimentões e refogue por 3-4 minutos.
3. Coloque as fatias de abobrinha, o açúcar e o sal. Refogue por cerca de 5 minutos (a abobrinha deve apenas começar a cozinhar, para preservar o seu tom verde viçoso).
4. Apague o fogo, acrescente a farinha de trigo e misture bem, para não deixar pelotas. Transfira o refogado de abobrinha para uma vasilha refratária.
5. À parte, numa tigela, bata o creme de leite até que fique ligeiramente encorpado. Acrescente o queijo de coalho, a salsa e o leite. Mexa até a mistura ficar bem homogênea e então coloque-a sobre o refogado de abobrinha.
6. Leve ao forno para gratinar por cerca de 20 minutos. Desligue assim que tiver dourado.

Nesta receita você pode usar o queijo que preferir. O queijo de coalho tem um sabor salgado e fica sólido mesmo depois de cozido. Não derrete facilmente, por isso é excelente para cozinhar e fritar junto com legumes.

Hambúrgueres tipo falafel

INGREDIENTES

2 colheres (sopa) de azeite de oliva

3-4 pimentas verdes frescas ou 1 pimentão verde picados bem miúdo

2 cenouras cortadas em palitinhos

2 xícaras (chá) de proteína de soja texturizada

½ xícara (chá) de água quente

1 xícara (chá) de grão-de-bico deixado de molho durante a noite e amassado até formar uma massa lisa

½ colher (chá) de sal

1 colher (chá) de pimenta-do-reino

1 colher (chá) de orégano

1 colher (chá) de cominho em pó

uma pitada de assa-fétida (opcional)

2 colheres (sopa) de farinha de trigo

3 colheres (sopa) de salsa picada fino

3-4 colheres (sopa) de óleo de girassol (para fritar os hambúrgueres)

PREPARO

1. Aqueça o azeite numa panela em fogo médio/alto. Acrescente as pimentas ou o pimentão e refogue durante cerca de 2 minutos.
2. Adicione os palitinhos de cenoura e refogue durante mais alguns minutos. Reduza o fogo, acrescente a proteína de soja e misture bem.
3. Coloque a água quente e torne a misturar. Tampe a panela e cozinhe em fogo baixo por 5 minutos. Apague o fogo e deixe esfriar.
4. Numa tigela misture a proteína de soja e a pasta de grão-de--bico. Adicione o sal, a pimenta-do-reino, o orégano, o cominho, a assa-fétida, a farinha de trigo e a salsa picada. Torne a misturar até obter uma massa firme.
5. Modele hambúrgueres estreitos e chatos e frite-os dos dois lados no óleo de girassol até que dourem. Retire-os e deixe que escorram em uma peneira.
6. Ponha os hambúrgueres fritos sobre papel absorvente para retirar o excesso de óleo.

Estes hambúrgueres podem ser servidos quentes ou em temperatura ambiente, acompanhados de molho de tomate e salada. Também podem ser servidos com qualquer tipo de arroz ou com iogurte.

Hambúrgueres assados

INGREDIENTES

4 colheres (sopa) de azeite de oliva

3-4 pimentas verdes ou 1 pimentão verde picados bem miúdo

1 cenoura grande picada bem miúdo

1 xícara (chá) de proteína de soja texturizada

½ colher (chá) de sal, ou a gosto

1 colher (chá) de pimenta-do-reino, ou a gosto

1 colher (chá) de cominho moído

uma pitada de assa-fétida (opcional)

½ - ¾ de xícara (chá) de água quente

½ xícara (chá) de farinha de trigo integral fina

½ xícara (chá) de farinha de aveia trilhada

1 xícara (chá) de rúcula picada fino ou 1 colher (sopa) de linhaça moída misturada a 3 colheres (sopa) de água quente

½ colher (sopa) de massa de tomate

PREPARO

1 Preaqueça o forno em temperatura média (180°C).

2 Aqueça o azeite numa panela. Acrescente as pimentas ou o pimentão e refogue durante 2 minutos.

3 Adicione a cenoura e refogue por mais 2 minutos em fogo alto.

4 Junte a proteína de soja ao refogado e tempere com o sal, a pimenta, o cominho e a assa-fétida. Misture bem.

5 Acrescente a água quente e torne a misturar até que todos os ingredientes estejam bem ligados.

6 Tampe a panela e cozinhe em fogo baixo por cerca de 5 minutos, mexendo de vez em quando (se necessário, adicione mais um pouquinho de água quente para não queimar).

7 Apague o fogo e deixe esfriar um pouco. Então acrescente a farinha de trigo e a de aveia, a rúcula picada ou a linhaça embebida em água e a massa de tomate. Misture até obter uma pasta firme e homogênea. Modele-a formando bolinhos achatados com cerca de 2 cm de espessura.

8 Na grade de baixo do forno quente ponha uma tigela pequena cheia de água para liberar vapor (esse processo vai garantir que os hambúrgueres permaneçam úmidos).

9 Acomode os hambúrgueres em uma assadeira, coloque-a na grade de cima do forno e asse durante cerca de 15 minutos.

Sirva-os acompanhados de arroz e/ou salada.

Arroz com berinjela, amêndoas e endro

INGREDIENTES

- 2 colheres (sopa) de manteiga ou azeite de oliva
- ½ xícara (chá) de amêndoas, postas de molho em água para retirar a pele
- 1 xícara (chá) de arroz basmati ou arroz jasmim lavado e escorrido
- 1½ xícara (chá) de água ou o suficiente para cobrir o arroz
- 2 colheres (sopa) de manteiga (para fritar a berinjela)
- 1 berinjela grande cortada em cubos de 2 cm
- 3 colheres (sopa) de endro fresco picado fino
- ½ colher (chá) de sal, ou a gosto
- ½ colher (chá) de pimenta-do-reino, ou a gosto

PREPARO

1. Aqueça numa panela a manteiga ou o azeite. Acrescente as amêndoas e refogue-as durante alguns minutos.
2. Adicione o arroz e a água suficiente para cobri-lo (mantenha de reserva um pouco de água fervente para acrescentar ao arroz, se necessário, porque a quantidade de água varia de acordo com o tipo de arroz). Quando levantar fervura, abaixe o fogo.
3. De vez em quando verifique o cozimento do arroz, acrescentando mais um pouquinho de água fervente se necessário, até que ele esteja cozido.
4. Retire a panela do fogo e ponha um pano de prato sob a tampa para absorver o vapor, assim o arroz não ficará empapado.
5. Em uma frigideira aqueça a manteiga e frite a berinjela até que fique dourada.
6. Misture ao arroz a berinjela frita, o endro bem picado, o sal e a pimenta. Sirva a seguir.

Esta receita vem da culinária otomana e é preparada muito frequentemente nos lares turcos, sobretudo durante o verão. Combina bem com ayran (bebida feita misturando-se iogurte natural com água e um pouco de sal) ou cacik com endro (ver p. 130).

Biryani de legumes

INGREDIENTES

3-4 colheres (sopa) de azeite de oliva ou óleo de girassol

1 colher (chá) de grãos de pimenta-do-reino moídos grosseiramente

2 pauzinhos de canela cortados em pedaços pequenos

6-8 cravos-da-índia

¾ de xícara (chá) de castanhas-de-caju

1 xícara (chá) de repolho picado bem fino

1 cenoura cortada em cubinhos

¾ de xícara (chá) de couve-flor cortada em buquezinhos

¾ de xícara (chá) de ervilhas (frescas ou congeladas)

2 xícaras (chá) de arroz basmati ou arroz jasmim lavado e escorrido

1 tomate sem pele cortado em cubinhos

água fervente suficiente para cozinhar o arroz

1 colher (sopa) de manteiga (opcional)

coentro fresco picado (para decorar)

PREPARO

1. Aqueça numa panela, em fogo médio, o azeite ou o óleo de girassol. Adicione a pimenta-do-reino, a canela e os cravos. Refogue por 1 minuto e então junte as castanhas-de-caju.
2. Acrescente o repolho picado e refogue por mais 2 minutos.
3. Junte a cenoura, a couve-flor e por fim as ervilhas. Refogue por mais 2 minutos.
4. Acrescente o arroz basmati ou o arroz de jasmim, os cubos de tomate e a água suficiente para cobrir o arroz.
5. Abaixe o fogo e tampe a panela. De vez em quando verifique o cozimento do arroz e, se necessário, vá acrescentando mais água quente em quantidades muito pequenas até o arroz ficar macio.
6. Quando o arroz estiver cozido, retire-o do fogo, acrescente a manteiga para separar os grãos e misture delicadamente.
7. Coloque um pano de prato sob a tampa da panela para absorver o vapor, assim o arroz não ficará empapado. Deixe descansar por 10 minutos.
8. Antes de servir, guarneça com coentro picado.

Este arroz condimentado pode fazer parte de um jantar servido com iogurte natural ou com chutney de coentro (ver p. 134). Você pode mudar os legumes de acordo com seu gosto e a disponibilidade.

Vários dos pratos e sopas vegetarianos apresentados neste livro são ainda mais deliciosos quando servidos com um pedaço de pão feito em casa.

Muitas culturas têm seus pães característicos, servidos tradicionalmente com alguns pratos — em todos os sabores, formas e tamanhos. Feitos com diferentes grãos e farinhas, para cada gosto há um pão.

ANTEPASTOS E PÃES

Burecas (envelopes de massa folhada)

INGREDIENTES

500 g de massa folhada (pronta, congelada)

4 colheres (sopa) de queijo de minas ralado

4 colheres (chá) de purê de tomate

½ colher (chá) de manjericão seco

¼ de colher (chá) de pimenta-do--reino (opcional)

leite para pincelar

PREPARO

1 Descongele a massa folhada de acordo com as instruções da embalagem.

2 Preaqueça o forno em temperatura média (180°C).

3 Para o recheio, misture o queijo de minas, o purê de tomate, o manjericão e a pimenta-do-reino.

4 Abra a massa folhada até que fique com 2-3 mm de espessura. Corte-a em quadrados de 15 cm ou do tamanho que você desejar.

5 Ponha, em cada quadrado de massa, 1 colher (sopa) do recheio. Dobre a massa ao meio sobre o recheio, formando triângulos ou retângulos.

6 Feche os triângulos ou retângulos de massa pressionando as extremidades com um garfo úmido.

7 Acomode as burecas numa assadeira e pincele-as com leite.

8 Leve ao forno e asse durante cerca de 15 minutos na prateleira do meio.

Estas burecas são de preparo e cozimento muito rápidos, graças à massa pronta. Você pode usar a criatividade quanto ao recheio e preparar: batatas amassadas e ervilhas com um pouco de pimenta-do--reino e outras especiarias, ou queijo prato ralado com salsa picada, ou legumes picadinhos (por exemplo: cenoura, repolho, milho, broto de feijão e shoyu) refogados.

INGREDIENTES

1 xícara (chá) de semolina fina

4 colheres (sopa) de farinha de arroz

4 colheres (sopa) de farinha de grão-de-bico

4 colheres (sopa) de iogurte natural

1 colher (chá) de sal, ou a gosto

1 colher (sopa) de azeite de oliva ou óleo de girassol

1½ xícara (chá) de água

1 cenoura cortada em palitos finos

1 xícara (chá) de repolho cortado em tiras finas

¼ de xícara (chá) de pimentão vermelho picado fino

¼ de xícara (chá) de pimentão verde picado fino

¼ de xícara (chá) de milho

¼ de xícara (chá) de ervilhas congeladas

2 colheres (chá) de suco de limão

¼ de colher (chá) de bicarbonato de sódio

pimentas verdes e coentro a gosto (opcional)

PARA A COBERTURA

rodelas de tomate

queijo prato ou mozarela ralados

pimentas verdes cortadas em rodelas finas (opcional)

coentro fresco picado (opcional)

Pizza diferente

PREPARO

1. Ponha numa tigela a semolina, a farinha de arroz e a farinha de grão-de-bico. Acrescente o iogurte, o sal, o azeite ou óleo e a água; misture bem. A consistência deve ser como a de uma massa de panqueca (creme grosso). Se for necessário, acrescente mais água.
2. Adicione os ingredientes restantes e misture até a massa ficar homogênea.
3. Deixe-a repousar por cerca de 10 minutos. Se estiver usando semolina grossa, deixe que repouse por 30-40 minutos.
4. Leve ao fogo médio uma frigideira chata antiaderente que tenha tampa (se não tiver, use qualquer tampa que se ajuste à boca da frigideira e possa mantê-la aquecida).
5. Quando a frigideira estiver quente, coloque 2 conchas de massa e espalhe-a rapidamente com as costas da concha.
6. Com uma colher, despeje um pouco de azeite em toda a volta da pizza para que ela não grude.
7. Tampe a frigideira e deixe a massa cozinhar por 1-2 minutos em fogo médio/baixo.
8. Vire a pizza para que cozinhe do outro lado e disponha sobre ela as rodelas de tomate e o queijo prato ou mozarela ralado. Mantenha-a tampada por cerca de 1 minuto. Sirva quente.
9. Se preferir pizzas mais condimentadas e picantes, quando for acrescentar o tomate e o queijo, ponha também coentro picado e pimentas verdes em rodelas finas.

Este é um ótimo prato para festa, apreciado tanto pelas crianças quanto pelos adultos.

Panquecas primavera

INGREDIENTES

1 xícara (chá) de brotos de feijão

1 xícara (chá) de champignons fatiados

2 pimentas verdes ou 2 pimentões verdes picados fino

1 tomate cortado em cubos

2 colheres (sopa) de salsa ou coentro frescos picados fino

uma pitada de sal, ou a gosto

½ colher (chá) de pimenta-do-reino, ou a gosto

1-2 colheres (sopa) de fubá

1-2 colheres (sopa) de farinha de trigo

4-5 colheres (sopa) de leite

óleo de girassol em pequena quantidade, para fritar

PREPARO

1. Ponha numa tigela os brotos de feijão, os champignons, os legumes picados e a salsa ou o coentro. Tempere com sal e pimenta.
2. Acrescente o fubá e a farinha de trigo à mistura de legumes.
3. Adicione o leite e misture bem. A farinha e o leite devem ser apenas suficientes para dar liga aos legumes.
4. Aqueça em fogo médio/alto, com um fio de óleo, uma frigideira antiaderente.
5. Ponha na frigideira uma grande colherada da mistura e doure dos dois lados.

Sirva com queijo e pão e/ou salada. Você pode usar quaisquer outros legumes disponíveis e criar variações. Acrescente pimentas verdes se desejar um sabor mais picante.

Deixe seus bons augúrios fluírem como uma fonte de chocolate.

Pão de fubá

INGREDIENTES

3 xícaras (chá) de fubá

3 xícaras (chá) de farinha de trigo integral

1 colher (chá) de sal

2 colheres (chá) de fermento em pó

2 xícaras (chá) de leite

4 colheres (sopa) de manteiga derretida

2 colheres (sopa) de mel

azeite de oliva, uma pitada de tomilho e outra de pimenta vermelha em flocos (para servir)

PREPARO

1. Preaqueça o forno em temperatura média (180°C).
2. Ponha, numa tigela, os ingredientes secos (fubá, farinha, sal e fermento).
3. Em outra tigela, coloque o leite, a manteiga derretida e o mel.
4. Misture os ingredientes secos e os líquidos até obter uma massa macia.
5. Ponha a massa numa forma de pão de 13 cm x 25 cm ou dê à massa a forma que preferir. Faça riscos leves na superfície da massa para ajudar a crescer.
6. Leve ao forno e asse durante cerca de 30 minutos.
7. Sirva quente, regado com um fio de azeite e salpicado com tomilho e flocos de pimenta vermelha.

Este pão permanece fresco por alguns dias se hermeticamente fechado.

Alternativa: se desejar um sabor picante, acrescente pimentas verdes e coentro picados fino à massa.

Pão de azeitonas

INGREDIENTES

½ xícara (chá) de azeite de oliva

½ xícara (chá) de iogurte natural

mistura feita com 3 colheres (sopa) de amido de milho + 3 colheres (sopa) de iogurte + 3 colheres (sopa) de leite (para substituir 3 ovos)

1 colher (chá) de fermento em pó

1 colher (chá) de bicarbonato de sódio

1 colher (chá) de vinagre de maçã

½ colher (chá) de sal

uma pitada de assa-fétida (opcional)

20 azeitonas pretas sem caroço, cortadas em lascas

2-3 pimentas verdes ou 1 pimentão verde picados fino

3 colheres (sopa) de endro fresco picado fino

1 colher (chá) de tomilho

1 colher (chá) de flocos de pimenta vermelha (opcional)

2 xícaras (chá) de farinha de trigo branca ou integral peneirada

PREPARO

1 Preaqueça o forno em temperatura média (180°C).

2 Adicione o azeite à mistura do amido de milho, iogurte e leite que substitui os ovos.

3 Acrescente o fermento, o bicarbonato de sódio, o vinagre, o sal e a assa-fétida e misture bem.

4 Misture as azeitonas pretas, a pimenta ou o pimentão bem picados, o endro, o tomilho e os flocos de pimenta vermelha.

5 Adicione a farinha peneirada e misture até obter uma massa homogênea.

6 Coloque a massa numa assadeira funda (8-10 cm de altura) com 20 cm de lado, untada, ou numa forma de bolo inglês de 10 cm x 20 cm, untada. Leve ao forno e asse durante 20-30 minutos na prateleira do meio.

Sirva com fatias de queijos variados, acompanhado de chá, num café da manhã de domingo ou então num almoço leve com uma salada.

Prático também para piquenique ou almoço no trabalho.

Rendimento: 14-16 porções

INGREDIENTES

1 xícara (chá) de azeite de oliva

1 xícara (chá) de iogurte natural

1 colher (chá) de fermento em pó

1 colher (chá) de bicarbonato de sódio

1 colher (chá) de vinagre de maçã

½ colher (chá) de sal

5 xícaras (chá) de farinha de trigo comum ou farinha de trigo integral ou de uma mistura das duas

leite para pincelar

2 colheres (sopa) de endro fresco picado fino ou 2 colheres (sopa) de gergelim (para decorar)

PARA OS RECHEIOS

3-4 batatas médias cozidas e amassadas, misturadas a 3-4 colheres (sopa) de salsa picada fino e pimenta-do-reino moída a gosto, ou

1 xícara (chá) de queijo de minas misturado com 3-4 colheres (sopa) de salsa picada bem miúdo, ou

qualquer outro recheio da sua preferência, desde que não seja muito úmido.

Poachas (antepasto turco de queijo)

PREPARO

1. Preaqueça o forno em temperatura média (180°C).
2. Misture o azeite, o iogurte, o fermento em pó, o bicarbonato de sódio, o vinagre e o sal.
3. Se for usar endro fresco picado, acrescente-o à massa neste ponto.
4. Outra alternativa é decorar as poachas com gergelim, mas isso será feito mais adiante.
5. Comece adicionando aos poucos, à mistura anterior, 1 xícara de farinha por vez. Vá acrescentando e misturando cada xícara de farinha lentamente, até obter uma massa macia (a quantidade de farinha utilizada varia de acordo com o tipo de farinha).
6. Pegue porções de massa e molde bolinhas aproximadamente do tamanho de uma bola de tênis. Achate as bolinhas entre as mãos, dando palmadinhas até deixá-las com cerca de 0,5 cm de espessura (se preferir, abra-as com um rolo).
7. Ponha um pouco do recheio escolhido no centro de cada porção de massa e dobre-a formando um D. Feche as bordas pressionando-as bem com os dedos.
8. Coloque as poachas numa assadeira ligeiramente untada, deixando entre elas 2-3 cm de distância, e pincele-as com leite (se tiver optado pelo gergelim em vez do endro, polvilhe-o por cima delas nesse momento).
9. Leve ao forno e asse por cerca de 25 minutos na prateleira do meio.

Esta iguaria combina bem com chá, mas também pode ser servida no café da manhã ou com sopas.

Uma boa refeição pode se tornar esplêndida quando acompanhada por um chutney, que a complementa com perfeição.

A cesta de compras dos vegetarianos oferece uma gama fabulosa de sabores que podem ser combinados com sutileza e habilidade para fazer chutneys — doces ou ácidos, picantes ou com temperos de sabor delicado. Este capítulo também inclui um delicioso dip, que combina magnificamente com legumes crus cortados na hora.

CHUTNEYS E DIPS

Maionese

INGREDIENTES

½ xícara (chá) de azeite de oliva

½ xícara (chá) de leite

suco de 1 limão

uma pitada de sal

mostarda e/ou assa-fétida a gosto (opcional)

PREPARO

1. Misture o azeite e o leite com um batedor manual.
2. Vá acrescentando o suco de limão aos pouquinhos, misturando continuamente com o batedor. Pare de colocar o suco de limão somente quando a mistura chegar à consistência certa. Tenha cuidado para não exceder a quantidade de limão, para a maionese não ficar líquida. Se isso acontecer, ponha um pouco mais de azeite.
3. Acrescente sal e mostarda e/ou assa-fétida a gosto, e sirva.

Este molho conserva-se bem na geladeira por alguns dias.

Cacik com endro

PREPARO

1 Descasque o pepino e retire as sementes. Corte-o em cubos bem miúdos ou rale-o grosso.

2 Acrescente todos os ingredientes ao iogurte e misture bem com um garfo.

3 Coloque em tigelinhas, decore com um galhinho de endro e sirva frio.

O cacik com endro é uma opção refrescante, que acompanha bem os pratos à base de arroz e de legumes.

INGREDIENTES

½ pepino

2 colheres (sopa) de endro fresco picado fino

2 colheres (sopa) de hortelã fresca picada fino

2 xícaras (chá) de iogurte natural

1 colher (sopa) de azeite de oliva

uma pitada de assa-fétida (opcional)

sal e pimenta a gosto

galhos de endro fresco para decorar (opcional)

Respeite a si mesmo e todos os seres vivos. Essa é a receita para uma vida boa.

Iogurte caseiro

INGREDIENTES

2 xícaras (chá) de leite (integral ou semidesnatado)

1 colher (sopa) de iogurte natural

O iogurte caseiro pode ser empregado no preparo de uma bebida chamada lassi. Para fazê-la misture quatidades iguais de água e iogurte caseiro com um batedor manual ou na batedeira elétrica. Pode-se acrescentar sal para o lassi salgado e açúcar para o lassi doce.

Além disso, você pode acrescentar ao lassi salgado sementes de cominho moídas na hora. Na Índia, sobretudo no verão, essa bebida refrescante é servida às refeições e ajuda na digestão.

PREPARO

1. Ferva o leite numa panela de aço inoxidável e deixe-o esfriar um pouco.
2. É importante que o leite esteja na temperatura certa na hora de misturar o iogurte. Use um termômetro e garanta que a temperatura esteja entre 40°C e 43°C.
3. Acrescente o iogurte, misture bem e tampe (caso não use uma panela de aço inoxidável, transfira o iogurte para uma tigela e cubra).
4. Deixe descansar num lugar quente durante toda a noite.
   A temperatura ambiente deve ser de 33°C a 38°C. Você pode deixar o recipiente com o iogurte ao lado do boiler. Se não tiver boiler, deixe-o dentro do forno morno por 8-12 horas.
5. Se estiver fazendo calor, o iogurte ficará firme em 8 horas, assim não há necessidade de colocá-lo num lugar quente.
6. Quando ele estiver firme, guarde-o na geladeira.
7. O iogurte caseiro deve ser consumido fresco diariamente, pois azeda muito rapidamente.

Chutney de coentro

INGREDIENTES

2 xícaras (chá) de coentro fresco picado

3-4 pimentas verdes

1 pedaço de gengibre fresco, sem casca, de 2,5 cm de comprimento

1 colher (chá) de açúcar

1 colher (chá) de sal, ou a gosto

½ colher (chá) de cominho em pó

1-2 colheres (chá) de suco de limão

2 colheres (sopa) de água

PREPARO

1 Ponha todos os ingredientes num processador, junto com a água (se você preferir este chutney mais aguado, coloque um pouquinho mais). Moa até obter uma pasta lisa.

2 Sirva em uma travessa rasa bem decorativa.

Observação: este chutney pode ser preparado alguns dias antes, pois se conserva fresco na geladeira até mesmo por algumas semanas.

Dip de iogurte e hortelã

INGREDIENTES

4-6 colheres (sopa) de iogurte natural

2 colheres (chá) de hortelã fresca picada fino

½ colher (chá) de sal, ou a gosto

PREPARO

Misture todos os ingredientes numa tigela e sirva.

Observação: o preparo deste dip é muito fácil. Ele combina bem com todos os pratos de batata e também fica saboroso com palitos de legumes cortados (cenoura, pepino e aipo, por exemplo).

Embora sejamos conscientes das implicações que o açúcar e a gordura têm para a saúde, não há nada como uma deliciosa sobremesa para encerrar uma refeição.
Nas páginas seguintes apresentamos doces e pudins para você saborear regularmente como um acréscimo saudável a uma refeição nutritiva, e outros que deverão ser consumidos ocasionalmente. E há também ideias para doces que podem ser oferecidos como presente em ocasiões especiais.

SOBREMESAS E GULOSEIMAS

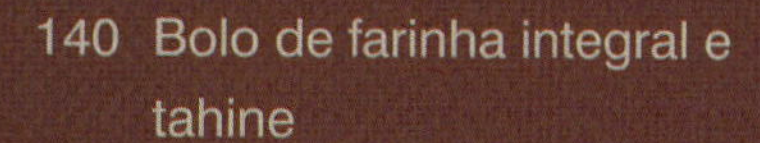

Bolo de farinha integral e tahine

INGREDIENTES

- mistura feita com 3 colheres (sopa) de amido de milho + 3 colheres (sopa) de iogurte + 3 colheres (sopa) de leite (para substituir 3 ovos)
- 1 xícara (chá) de mel
- 5 colheres (sopa) de manteiga em temperatura ambiente
- 1 xícara (chá) de tahine
- 1 xícara (chá) de leite
- ½ xícara (chá) de nozes picadas grosseiramente
- 4 colheres (sopa) de açúcar mascavo
- 2 xícaras (chá) de farinha de trigo integral peneirada
- 1 colher (chá) de fermento em pó
- 1 colher (chá) de bicarbonato de sódio
- 1 colher (chá) de canela em pó
- 2 colheres (chá) de essência de baunilha
- ½ colher (chá) de sal
- açúcar de confeiteiro para decorar (opcional)

PREPARO

1. Preaqueça o forno em temperatura média (170°C).
2. Misture o mel ao composto de amido de milho, ao iogurte e ao leite até ficar bem liso.
3. Acrescente a manteiga e bata com um mixer durante 3 minutos.
4. Adicione o tahine e misture.
5. Acrescente o leite, as nozes, o açúcar, a farinha, o fermento, o bicarbonato, a canela e por fim a baunilha e o sal. Misture até obter uma massa lisa e homogênea.
6. Unte uma forma de bolo de 25 cm de diâmetro (ou use uma forma antiaderente) e coloque a massa.
7. Leve ao forno e asse por cerca de 40 minutos na prateleira do meio (insira um palito no centro do bolo; se sair limpo, ele estará pronto).
8. Deixe esfriar antes de desenformar.
9. Para decorar, polvilhe o bolo com açúcar de confeiteiro e sirva.

RElax
bE wEll...

Muffins de frutas frescas sem gordura

Rendimento: cerca de 12 muffins

INGREDIENTES

- 1 xícara (chá) de farinha de trigo comum
- 1 xícara (chá) de farinha de trigo integral
- ½ xícara (chá) de açúcar
- 1 colher (chá) de fermento em pó
- ¾ de colher (chá) de bicarbonato de sódio
- ½ colher (chá) de canela em pó
- 1 colher (sopa) de linhaça moída
- uma pitadinha de sal
- 1 xícara (chá) de leite
- 2 colheres (sopa) de suco de limão
- 1 xícara (chá) de frutas variadas (frutinhas vermelhas, pêssego ou outras de polpa macia) em cubinhos

COBERTURA OPCIONAL

- 1 colher (sopa) de farinha de trigo
- ¼ de xícara (chá) de açúcar demerara
- 3 colheres (sopa) de nozes picadas grosseiramente
- ½ colher (sopa) de óleo de girassol
- ½ colher (sopa) de água

PREPARO

1. Preaqueça o forno em temperatura média (180°C).
2. Misture todos os ingredientes secos (farinhas, açúcar, fermento, bicarbonato, canela, linhaça e sal).
3. Junte o leite ao suco de limão e despeje-os nos ingredientes secos. Misture somente até deixá-los úmidos, mas cuidado para não misturar demais.
4. Acrescente as frutas frescas e misture delicadamente.
5. Ponha colheradas da massa em forminhas de muffin untadas, para evitar que grude. Se for usar forminhas de papel, unte-as, pela mesma razão.
6. Caso deseje cobrir, misture todos os ingredientes da cobertura. Coloque, sobre cada muffin, uma quantidade igual da mistura.
7. Leve ao forno e asse durante 15-20 minutos, ou até que, ao enfiar um palito no centro da massa, este saia limpo.
8. Deixe esfriar antes de desenformar e sirva.

Além de muito prática, esta receita de muffin é saudável, pois não leva gordura.

Creme de frutas saudável

INGREDIENTES

1 xícara (chá) de iogurte natural

1-1½ colher (sopa) de mel

½ colher (chá) de cardamomo moído, ou a gosto

2 colheres (chá) de essência de baunilha

1 xícara (chá), ou mais, de frutas frescas em cubos (pêssego, banana, pera, manga, melão)

PREPARO

1 Junte todos os ingredientes, exceto as frutas, e misture com um batedor manual.

2 Quando a mistura estiver bem homogênea, acrescente as frutas, mexa delicadamente e sirva.

Observação: fica a seu critério usar uma única fruta ou várias. A escolha depende do seu gosto, da disponibilidade e da época.

Este doce de preparo muito rápido é leve e saboroso. Pode ser servido a qualquer hora do dia, especialmente nos dias quentes do verão.

Mantenha o bom astral enquanto segue a receita: seu humor faz a diferença.

Crepes de frutas

INGREDIENTES

PARA OS CREPES

1 xícara (chá) de leite

5 colheres (sopa) de farinha de trigo

manteiga para fritar

açúcar de confeiteiro para decorar

PARA O RECHEIO

1 xícara (chá) de frutas frescas variadas (pêssego, banana, frutinhas vermelhas, uvas ou morangos) em cubos ou em fatias

4 colheres (sopa) de açúcar

2 colheres (chá) de essência de baunilha

½ colher (chá) de cardamomo moído (opcional)

açúcar de confeiteiro para decorar

PREPARO

CREPES

1. Junte o leite e a farinha e misture com o batedor manual até obter uma textura lisa.
2. Aqueça uma frigideira antiaderente em fogo médio e espalhe um pouquinho de manteiga. Coloque 1 concha grande da massa de crepe, espalhe-a uniformemente pela superfície da frigideira, a fim de obter o crepe mais fino possível, e quando a massa se soltar, vire-a do outro lado. Repita o procedimento até terminar a massa.

RECHEIO

1. Cozinhe em fogo médio, por 10-15 minutos, as frutas com o açúcar, a baunilha e o cardamomo (não tampe a panela).
2. Mexa de vez em quando. Primeiro as frutas vão liberar o suco e depois vão adquirir uma consistência semelhante à de geleia.
3. Coloque um pouco do recheio de frutas em cada crepe e enrole. Antes de servir, polvilhe com açúcar de confeiteiro.

Os crepes ficam mais saborosos quando servidos quentes e ainda crocantes.

Crumble de frutas

INGREDIENTES

PARA O RECHEIO DE FRUTAS

2 colheres (sopa) de manteiga

2 maçãs sem casca cortadas em fatias

2 peras sem casca cortadas em fatias

½ xícara (chá) de uvas-passas

4-5 cravos-da-índia

1 colher (sopa) de canela em pó

1 banana picada

1 xícara (chá) de mirtilos

½ xícara (chá) de nozes, avelãs ou amêndoas picadas

PARA O CRUMBLE

4 colheres (sopa) de manteiga em temperatura ambiente

2 xícaras (chá) de farinha de trigo

1 xícara (chá) de açúcar mascavo

PREPARO

1. Preaqueça o forno em temperatura média (180°C). Para o recheio de frutas, ponha a manteiga numa panela e acrescente as maçãs, as peras, as uvas-passas, os cravos e a canela.
2. Refogue por poucos minutos em fogo alto. Depois cozinhe em fogo médio por 5 minutos.
3. Incorpore à mistura a banana, os mirtilos e as nozes picadas. Coloque-a num refratário.
4. Para o crumble, ponha numa tigela a manteiga, a farinha e o açúcar. Misture até obter a consistência de uma farofa grossa ou de farelo de pão (se ela ficar úmida, acrescente um pouco mais de farinha).
5. Espalhe o crumble sobre a camada de frutas e leve ao forno por cerca de 30 minutos ou até ficar dourado.
6. Sirva com sorvete de baunilha, ou de qualquer outro sabor, e creme de leite levemente batido.

Você pode usar apenas maçãs ou qualquer fruta da época. Esta é uma sobremesa muito prática, deliciosa e rápida.

Panna cotta

INGREDIENTES

1 xícara (chá) de leite

¾ de xícara (chá) de creme de leite fresco

4 colheres (sopa) de açúcar

½ xícara (chá) de água

1 colher (chá) de ágar-ágar em pó

PARA A COBERTURA (OPCIONAL)

1 colher (sopa) de mel

3 colheres (sopa) de água

⅔ de colher (chá) de essência de baunilha

PREPARO

1. Misture todos os ingredientes numa panela e cozinhe em fogo médio, mexendo continuamente até ferver.
2. Despeje em forminhas molhadas. Quando esfriar ponha na geladeira durante algumas horas, para firmar.
3. Para a cobertura misture todos os ingredientes e despeje sobre as panna cottas antes de servir.

Alternativa: você pode usar essência de rosas ou açafrão, em vez da essência de baunilha, para aromatizar a cobertura da panna cotta e, assim, variar o sabor.

Pasteizinhos folhados com geleia de damasco

INGREDIENTES

farinha para abrir a massa

500 g de massa folhada (descongelada conforme as instruções da embalagem)

1 xícara (chá) de geleia de damasco (ou outro sabor)

leite para pincelar

PREPARO

1 Preaqueça o forno em temperatura alta (200°C).

2 Polvilhe com farinha a superfície de trabalho. Abra a massa e corte-a em 4 porções. Abra cada uma até que fique com 2-3 mm de espessura.

3 Corte cada porção aberta em quadrados ou círculos.

4 Ponha um pouco de geleia no centro de cada quadrado ou círculo. Quando forem quadrados, dobre as quatro pontas em direção ao centro, como se fosse um envelope. Quando forem círculos, dobre a massa ao meio, formando um D. Para fechar os pastéis, pressione as bordas da massa com os dedos, quando forem quadrados, e com um garfo molhado, quando forem círculos.

5 Aproveite as sobras da massa e corte tiras bem finas para decorar. Ponha-as na parte superior dos Ds, como se estivesse amarrando um pacote.

6 Coloque os pasteizinhos numa assadeira (não é preciso untá-la) e pincele-os com leite.

7 Leve a assadeira ao forno e asse durante 15-20 minutos na prateleira do meio, ou até dourar.

8 Se quiser dar um toque especial, depois que esfriarem polvilhe-os com açúcar de confeiteiro.

Estes pasteizinhos são iguarias elegantes para o chá com amigos ou para brunches descontraídos no domingo.

Delícia de frutas secas e nozes sem açúcar

Rendimento: 20-25 docinhos

INGREDIENTES

2 xícaras (chá) de frutas secas (tâmaras, figos e damascos) picadas

1 xícara (chá) de nozes (castanhas-de-caju, amêndoas e pistaches) misturadas

2 colheres (sopa) de manteiga sem sal

1 colher (chá) de cardamomo

PREPARO

1. Lave as frutas secas em água morna, verificando se não têm pedrinhas. Moa-as no processador ou pique-as em pedaços pequenos.
2. Toste as nozes no forno até que as castanhas-de-caju estejam douradas. Depois que esfriarem, moa-as grosseiramente. Reserve.
3. Derreta a manteiga numa panela, em fogo baixo. Acrescente as frutas picadas e continue mexendo até que fiquem macias.
4. Adicione as nozes tostadas e misture bem. Abaixe o fogo, acrescente o cardamomo e torne a misturar.
5. Abra a massa de frutas em uma superfície lisa, deixando 1 cm de espessura. Use moldes de biscoito de diversas formas para cortar ou modele com as mãos.
6. Guarde os docinhos na geladeira.

Este é um doce saudável e dura de 2 a 3 semanas na geladeira.

Use somente tâmaras com caroço, se quiser um sabor mais doce.

É uma iguaria deliciosa para compartilhar com os amigos e a família.

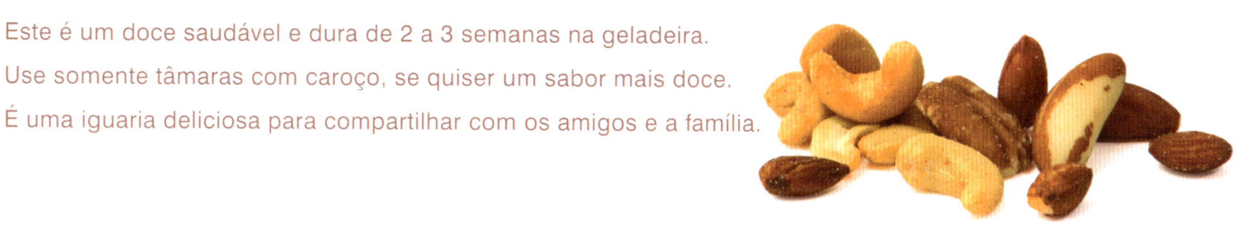

Bolinhas energéticas

INGREDIENTES

1 ½ xícara (chá) de aveia trilhada

4 colheres (sopa) de gergelim

⅓ de xícara (chá) de mel

⅓ de xícara (chá) de tahine

½ xícara (chá) de nozes, ou outro tipo de castanha, picadas miúdo

pistaches inteiros e picados para decorar

PREPARO

1 Misture todos os ingredientes.

2 Leve a mistura à geladeira e deixe-a descansar de 30 minutos a 1 hora.

3 Modele a mistura formando bolinhas, decore-as com pistache e sirva.

Quando guardadas na geladeira, conservam-se bem por uma semana.

Alternativa: toste a aveia trilhada e o gergelim juntos, acrescente os outros ingredientes e, sem levar a mistura à geladeira, forme rolinhos. Decore-os com pistache e sirva.

O método em que não se tosta as sementes e as nozes deixa-as, em geral, mais nutritivas, mas o método de tostar é mais saboroso.

Estes docinhos podem ser embalados em caixas e ofertados como presente a amigos.

Pudim de aletria

PREPARO

1. Ponha numa panela a manteiga e a aletria e frite por alguns minutos em fogo alto (preste atenção para que o macarrão não queime, o que pode acontecer muito rapidamente).
2. Abaixe o fogo para médio e adicione o leite, o mel e as uvas-passas.
3. Acrescente a farinha de arroz, o cardamomo e a baunilha, mexendo continuamente.
4. Assim que levantar fervura ponha em fogo baixo, tampe a panela e cozinhe por 2 minutos.
5. Coloque em tigelinhas próprias para servir e decore com avelãs. Sirva morno ou frio.

INGREDIENTES

- 1 colher (sopa) de manteiga
- 4 colheres (sopa) de aletria picada
- 4 xícaras (chá) de leite
- 3 colheres (sopa) de mel
- 2 colheres (sopa) de uvas-passas
- 4 colheres (sopa) de farinha de arroz
- 1 colher (chá) de cardamomo moído
- 2 colheres (chá) de essência de baunilha
- avelãs inteiras e picadas para decorar

A comida simples feita por quem nos ama tem melhor sabor que a comida sofisticada feita por estranhos.

Bolo de nozes

INGREDIENTES

4 xícaras (chá) de farinha de trigo

1 colher (chá) de canela em pó

1½ colher (chá) de fermento em pó

2¼ xícaras (chá) de chá-preto morno

¾ de xícara (chá) de mel

½ colher (chá) de essência de baunilha

¾ de xícara (chá) de óleo de girassol

1 xícara (chá) de açúcar

1 xícara (chá) de nozes picadas grosseiramente

PREPARO

1. Preaqueça o forno em temperatura média (170°C).
2. Peneire a farinha numa tigela. Acrescente a canela e o fermento e misture bem.
3. Em outra tigela coloque o chá morno, o mel e a baunilha. Misture até que o mel se dissolva. Adicione o óleo de girassol, o açúcar e torne a misturar.
4. Junte os ingredientes secos e os líquidos e misture delicadamente com uma colher. Acrescente as nozes e torne a misturar.
5. Coloque a massa numa forma de 30 cm de diâmetro untada ou numa assadeira funda de 30 cm x 30 cm também untada.
6. Leve ao forno e asse por cerca de 50 minutos Após esse tempo insira um palito no centro do bolo; se ao retirá-lo ele estiver molhado e com massa, asse mais um pouco.
7. Deixe esfriar por 10 minutos antes de desenformar. Sirva com creme.

Este bolo é muito leve e fácil de fazer. Além disso é adequado à dieta vegetariana.

Fix rápido de frutas

INGREDIENTES

1-2 maçãs

1 pera

2-3 ameixas

2-3 pêssegos

½ xícara (chá) de açúcar

um punhado de frutinhas vermelhas

cravos-da-índia e/ou cardamomo em pó a gosto (opcional)

PARA O CREME

1 xícara (chá) de iogurte natural

3-4 colheres (sopa) de creme de leite

2 colheres (chá) de essência de baunilha

2-3 colheres (sopa) de açúcar de confeiteiro

PREPARO

1. Corte em pedacinhos as maçãs, a pera, as ameixas e os pêssegos; não é preciso descascá-los.
2. Leve ao fogo médio uma panela com as frutas cortadas. Adicione o açúcar e deixe cozinhar por cerca de 5 minutos (não tampe).
3. Acrescente as frutinhas vermelhas e, se desejar, os cravos e/ou o cardamomo.
4. Quando a mistura de frutas começar a ferver, apague o fogo. Não cozinhe demais.
5. Para o creme, bata juntos o iogurte, o creme de leite, a baunilha e o açúcar de confeiteiro, com um batedor manual.
6. Sirva quando as frutas estiverem mornas ou frias.

Esta é uma iguaria de preparo fácil e rápido, ótima para quando você deseja algo doce e uma fruta não satisfaz essa necessidade.

Você pode usar outras frutas, desde que não sejam ácidas.

Rendimento: 8 pacotinhos

Pacotinhos de banana

INGREDIENTES

16 folhas de massa filo

8 colheres (sopa) de açúcar mascavo

8 colheres (sopa) de nozes ou avelãs picadas grosseiramente

4 bananas não muito maduras cortadas longitudinalmente ao meio

1-2 xícaras (chá) de óleo de girassol para fritar

2-3 colheres (sopa) de mel

PREPARO

1 Ponha 2 folhas de massa filo juntas na superfície de trabalho. Polvilhe-as com 1 colher (sopa) de açúcar mascavo e 1 colher (sopa) de nozes picadas.

2 Coloque uma metade de banana em cada pedaço de massa, dobre as bordas da massa para dentro e depois vá enrolando pelo lado maior até obter um rolinho.

3 Umedeça ligeiramente a beirada da massa e pressione-a para fechar.

4 Como alternativa você pode embrulhar as bananas em pacotes triangulares; nesse caso amasse-as grosseiramente.

5 Aqueça o óleo de girassol numa panela funda, em fogo médio/alto, e frite os pacotinhos dos dois lados até que fiquem dourados.

6 Outra possibilidade é assar os pacotinhos, mas nesse caso o recheio de banana fica um pouco mole demais.

7 Caso tenha optado pela fritura, retire os pacotinhos da panela e ponha-os em folhas de papel absorvente para eliminar o excesso de óleo. Deixe esfriar um pouco.

8 Regue-os com um fio de mel e sirva.

Este doce é rápido e saboroso como sobremesa de um almoço leve.

Baklavas simples

Rendimento: 15-20 baklavas

INGREDIENTES

¾ de xícara (chá) de nozes mistas picadas grosseiramente (amêndoas, pistaches, castanhas-de-caju)

½ xícara (chá) de açúcar demerara

1 colher (chá) de cardamomo moído

5-6 colheres (sopa) de manteiga derretida, para pincelar

6 folhas de massa filo

PREPARO

1. Preaqueça o forno em temperatura baixa (150°C).
2. Misture numa tigela as nozes, o açúcar e o cardamomo.
3. Derreta a manteiga numa panela pequena.
4. Pegue 6 folhas de massa filo e pincele cada uma delas com manteiga derretida.
5. Deixe todas as folhas descansarem umas sobre as outras numa superfície de trabalho lisa (por exemplo, uma tábua de picar legumes). Com uma faca afiada corte-as em quadrados de 4 cm.
6. Em cada quadrado de massa ponha cerca de 1 colher (chá) cheia da mistura de nozes e açúcar. Dobre para o centro cada um dos cantos da massa e dê a forma de uma flor.
7. Disponha as “flores” próximas umas das outras numa assadeira, para que as extremidades da massa não abram demais.
8. Leve ao forno e asse na prateleira do meio durante cerca de 25 minutos ou até que dourem.

As baklavas são presentes encantadores para você dar em ocasiões especiais.

VARIAÇÃO

Você também pode dar às baklavas a forma de rolinhos – o que é mais fácil. Caso esta seja a sua opção, cubra a massa já pincelada com a manteiga derretida com uma pequena camada da mistura de nozes e açúcar. Enrole cuidadosamente e corte do tamanho desejado.

Se preferir um sabor mais doce ou quiser ter baklavas especiais, depois de retirá-las do forno regue-as com um pouco de mel e decore com pistaches moídos. Ou então espere que elas esfriem e polvilhe-as com açúcar de confeiteiro.

Cookies macios de limão

Rendimento: 15-20 cookies

INGREDIENTES

2½-3 xícaras (chá) de farinha de trigo

1 xícara (chá) de amido de milho

4 colheres (sopa) de açúcar

250 g de manteiga em temperatura ambiente

1 colher (sopa) de iogurte natural

1 colher (chá) de fermento em pó

2 colheres (chá) de essência de baunilha

raspas da casca de 1 limão

açúcar de confeiteiro para decorar (opcional)

PREPARO

1 Preaqueça o forno em temperatura média (180°C).

2 Misture todos os ingredientes, exceto o açúcar de confeiteiro. Para obter uma massa macia siga as dicas abaixo.

3 Tenha cuidado com a farinha. Para começar, coloque primeiro 2 xícaras e, gradualmente, vá acrescentando mais enquanto trabalha a massa. Pare de acrescentar farinha assim que estiver macia.

4 É importante misturar sempre a farinha pouco a pouco, pois a quantidade exigida pode mudar de acordo com o tipo de farinha empregado.

5 Abra a massa até que fique com 1,5 cm de espessura. Corte os cookies com um cortador de biscoitos. Ponha-os longe uns dos outros numa assadeira, pois vão crescer.

6 Leve ao forno e asse na prateleira do meio por 15 minutos ou até que estejam dourados (não deixe assar demais).

7 Depois que os cookies tiverem esfriado, polvilhe-os com açúcar de confeiteiro para decorar (opcional).

8 Estes cookies são um pouco menos doces. Se os preferir mais doces, aumente a quantidade de açúcar.

Ótimos para o lanche da tarde. Permanecem frescos por algumas semanas se ficarem hermeticamente fechados.

Ágar-ágar
Alcachofra
Assa-fétida
Berinjela
Coentro
Pimenta vermelha em flocos
Pimenta verde
Endro
Linhaça
Coentro em grãos
Hortelã
Massa filo
Salsa
Cardamomo
Azeite de oliva
Canela
Cravo-da-índia
Noz
Iogurte
Grão-de-bico

Ingredientes

ÁGAR-ÁGAR

É uma substância gelatinosa obtida da parede das células de algumas espécies de algas vermelhas ou outras algas marinhas. Pode ser usada como gelatina vegetariana, como espessante de sopas, em geleias, sorvetes e sobremesas japonesas.

Esse aditivo natural é preparado a partir de diversas espécies de algas vermelhas. Tem altas propriedades de formação de gelatina e é usado pelos vegetarianos porque a gelatina comum é feita de pele, cartilagem e ossos bovinos.

O ágar-ágar forma um gel a cerca de 31°C e não se dissolve abaixo de 57°C. Não tem sabor e é rico em iodo e microminerais. Suas propriedades de endurecimento são mais fortes que as da gelatina sem sabor; em temperatura ambiente ele endurece depois de 1 hora. É um alimento altamente proteico e por isso deve ser conservado na geladeira.

ALCACHOFRA

A alcachofra é uma planta de folhas comestíveis, assim como a parte da base da flor, chamada coração (que também se pode comprar enlatado ou congelado). É uma entrada deliciosa quando servida apenas cozida e com manteiga derretida, maionese ou vinagrete, onde se mergulham as folhas.
Destaque uma folha, mergulhe-a no molho escolhido e deslize-a por entre os dentes, retirando a base carnosa e macia. Quando tiver destacado todas as folhas, puxe ou corte o centro peludo e coma o coração e o fundo com o restante do molho.

Os pratos de alcachofra apresentados neste livro são preparados com coração de alcachofra congelado.

Como limpar e preparar alcachofras frescas

Você vai precisar de água fria e dois limões.

Tenha à mão uma tigela grande com água fria misturada ao suco dos dois limões, assim como as quatro metades espremidas dos limões com a casca (água de limão). Mantenha as alcachofras em outra tigela com água fria enquanto estiver trabalhando com elas.

Pegue uma alcachofra por vez e sacuda-a para retirar a água. Elimine as folhas externas menores e as que estiverem machucadas. Segure a alcachofra e, com uma tesoura, corte a ponta das folhas. Descasque a camada verde do fundo e do caule de cada alcachofra; ela estará limpa quando seu formato estiver parecido com o anterior, só que menor e mais clara. Coloque as alcachofras de molho na água com limão por 30 minutos ou até a hora de prepará-las.

Isso não é fácil, pois elas tendem a boiar e é difícil mantê-las cobertas. Um prato colocado invertido sobre a tigela vai mantê-las abaixo da superfície. Na hora de prepará-las, retire as alcachofras da água com limão e, segurando uma a uma pela base, bata a parte das folhas com firmeza sobre uma superfície lisa — assim as folhas se afastam ligeiramente e o impacto permite a saída de todas as impurezas.

ASSA-FÉTIDA

A assa-fétida é uma planta da família das apiáceas, que inclui a cenoura, a salsa, o endro, o aipo, a alcaravia, a erva-doce e a ligústica. Originária do Oriente Médio, é uma planta perene que atinge a altura de 1,83 m e tem cachos de flores amarelo-claras. Seu caule oco e as raízes abrigam uma resina leitosa rica em súlfur orgânico. Essa resina é seca e misturada com farinha de arroz para fazer uma farinha usada em culinária. Hoje a forma que mais se encontra é a assa-fétida composta, um pó fino que contém 30 por cento de resina de assa-fétida junto com farinha de arroz e goma arábica.

Embora seu cheiro seja desagradável, o sabor da assa-fétida é muito semelhante a uma combinação de cebolas fortes com um quê de trufas. Seu odor é tão forte que ela precisa ser armazenada em recipientes hermeticamente fechados, senão seu aroma, nauseante quando estocada em grande quantidade, contaminará as outras especiarias armazenadas por perto. Contudo, o cheiro se torna muito mais suave ao cozinhar.

Seu sabor condimentado, peculiar, é popular entre cozinheiros ousados, que acham a assa-fétida uma alternativa interessante para o alho e a cebola, até em pratos ocidentais. No entanto é necessária muita atenção para as doses, que devem ser pequenas. Na Roma antiga a assa-fétida era armazenada em jarros junto com os pinhões, sendo estes usados para dar sabor a pratos delicados. Outro método é dissolvê-la em óleo quente e acrescentar a mistura gota a gota em sopas e cozidos. Se usada com suficiente moderação, a assa-fétida intensifica o sabor de pratos com cogumelos e legumes, inclusive os fritos em bastante gordura.

De acordo com a aiurveda, um sistema abrangente de medicina com mais de 2.000 anos baseado numa abordagem holística originada na cultura védica, a assa-fétida é muito útil como digestivo, antisséptico, antiespasmódico, diurético suave, estimulante das secreções glandulares e auxiliar na circulação, e ainda mais útil para fortalecer os nervos.

A assa-fétida tem sido usada há décadas como erva medicinal, e algumas pessoas fazem com ela um chá para ser bebido. Apesar do aroma penetrante, a assa-fétida também é conhecida por aliviar males estomacais, sintomas dos resfriados, ansiedade, fadiga crônica, candidíase, gases dolorosos e flatulência.

AZEITE DE OLIVA

A azeitona é o fruto da oliveira (*Olea europaea*), árvore tradicional da bacia do Mediterrâneo. É comumente usada em culinária, cosméticos, produtos farmacêuticos, sabonetes e como combustível para lampiões. Seu azeite é considerado um óleo saudável em razão do alto teor de gordura monoinsaturada (sobretudo ácido oleico) e de polifenóis.

A estrutura química do azeite torna-o mais apropriado para o consumo humano que os óleos. Sua excelente digestibilidade facilita a absorção geral dos nutrientes, especialmente as vitaminas e os sais minerais. O azeite tem um efeito positivo sobre a prisão de ventre.

Por fomentar a mineralização dos ossos, é excelente para os bebês e os adultos com problemas de calcificação. Além disso tem efeitos benéficos no desenvolvimento do cérebro e do sistema nervoso, assim como no crescimento geral. Protege o corpo de infecções e contribui para a cura de tecidos internos ou externos.

BERINJELA

Esse legume tem uma grande variedade de formas, cores e tamanhos. A berinjela pode ser comprada durante o ano inteiro, mas a época em que ela está melhor e mais barata é em maio-junho e setembro-outubro. Escolha as que têm a pele sem manchas, firme e lustrosa, com o cálice — ou cabo — verde-claro.

Uma das razões pelas quais há quem despreze a berinjela é o sabor amargo característico das variedades mais antigas. As mais recentes já não precisam ser salgadas e escorridas (para retirar o suco amargo), embora esse processo tenha uma vantagem: com o salgamento inicial a berinjela não se encharca de óleo, ficando portanto menos pesada. E a sua carne cremosa deve ser frita, assada ou grelhada para ser mais saborosa: colocá-la crua num prato é desperdiçá-la.

GRÃO-DE-BICO E GRÃOS SECOS

O modo mais fácil de cozinhar grãos secos como o feijão e o grão-de-bico é deixá-los de molho com antecedência, por 8 a 10 horas ou durante a noite. Antes de cozinhar, retire os grãos que parecerem descoloridos.

Deve-se cozinhar os feijões até que eles estejam completamente macios, pois do contrário suas toxinas podem causar perturbação estomacal.

Acrescente ½ colher (chá) de bicarbonato de sódio à água em que for cozinhar todos os grãos secos, pois isso acelera o tempo de cozimento.

IOGURTE

O iogurte é um laticínio produzido pela fermentação bacteriana do leite. A fermentação do açúcar do leite (lactose) produz o ácido lático, que age na proteína do leite para dar ao iogurte a sua textura e o seu característico sabor picante. Substitutos do iogurte podem ser feitos com leite de soja.

O iogurte tem benefícios nutricionais superiores aos do leite: as pessoas com intolerância à lactose frequentemente o desfrutam sem ter reações negativas, talvez pelo fato de as culturas vivas do iogurte conterem enzimas que ajudam a decompor a lactose no intestino.

O iogurte também tem usos médicos, particularmente para diversas afecções gastrintestinais e na prevenção da diarreia ligada a antibióticos.

Nas regiões onde ocupa um lugar importante na culinária tradicional, o iogurte costuma ser feito em casa. Pode ser preparado a partir de uma pequena quantidade de iogurte natural, de cultura viva, comprado no comércio, à qual se mistura leite, aquecendo-se os dois a uma temperatura constante, mas sem deixar que cheguem à fervura. Existem máquinas especiais de fazer iogurte que ajudam na produção doméstica de pequenas quantidades.

LINHAÇA

Essa semente é uma variedade do linho comum, *Linum usitatissimum*, cultivada em razão dos seus dois subprodutos: o óleo e a farinha.

Com alto teor de ácidos graxos essenciais ômega-3, a linhaça é a mais rica fonte de lignina. Sabe-se também que o óleo de linhaça reduz o colesterol, ajuda a manter a integridade da pele e dos intestinos e também a saúde dos sistemas digestivo, imunológico e nervoso.

MASSA FILO

Trata-se de uma massa muito fina, semelhante a uma folha de papel, o que possibilita preparações extremamente leves e delicadas. Pode ser encontrada em casas especializadas e em alguns supermercados.

NOZ

A noz é rica em óleo e muito apreciada, tanto fresca quanto na culinária. O óleo de nozes é caro e por isso é usado comedidamente, quase sempre em molhos de salada.

A noz é também excelente fonte de ácidos graxos ômega-3 e eficaz na redução do colesterol. Precisa ser mantida seca e na geladeira para se conservar bem; em ambiente quente fica rançosa em poucas semanas, sobretudo se retirada a casca.

PIMENTA VERDE

As pimentas verdes são populares como tempero. Ricas em vitamina C, acredita-se que tenham muitos efeitos benéficos para a saúde.

PIMENTA VERMELHA EM FLOCOS

Usada para temperar a comida.

É também conhecida como: flocos de pimenta vermelha, pimenta dedo-de-moça seca e flocada e pimenta calabresa em flocos.

ERVAS

COENTRO

O coentro é uma erva anual delicada, com vários ramos e folhas de extremidades recortadas, pertencente à família da cenoura. Suas folhas são usadas como tempero no curry, em saladas e em sopas; quando maduras, as sementes esféricas são secas e, sobretudo na forma de pó, ligeiramente tostadas e usadas na culinária como pó de curry, para dar sabor a bolos e bolinhos. Esse condimento fragrante também tem propriedades medicinais.

Como guardar: guarde por vários dias na geladeira com as extremidades cortadas imersas num recipiente com água e as folhas frouxamente cobertas por um saco plástico. Troque a água a cada dois dias. Ou corte as pontas dos galhos e guarde-os durante uma semana envoltos em papel absorvente e num saco plástico.

Combina bem com: abacate, pães, sorvete, lentilha, maionese, pimentão, arroz, saladas, tomate, iogurte.

ENDRO

O endro, também conhecido como dill, é uma planta de odor forte, semelhante ao da erva-doce, e membro da família da salsa. Seu sabor se dissipa com o calor, por isso ele deve ser acrescentado no final do cozimento. Combina particularmente bem com legumes como abobrinha, batata, cenoura, ervilha, molhos, iogurte e creme de leite. O endro refina o sabor dos pratos de legumes preparados com azeite e servidos quentes.

HORTELÃ

As folhas da hortelã têm um agradável sabor calmante, aromático e doce, deixando uma sensação refrescante. São usadas na cozinha para acrescentar aroma aos pratos e empregadas sobretudo com salsa e/ou endro. A hortelã também ajuda na digestão.

SALSA

A salsa é uma erva fresca muito saudável e saborosa, usada abundantemente na culinária mediterrânea. Por ter um sabor mais forte que a variedade crespa, a salsa italiana lisa resiste melhor à fervura e por isso costuma ser o tipo preferido para os pratos servidos quentes. Deve ser acrescentada no final do processo de cozimento, para reter melhor o sabor, a cor e o valor nutricional.

Ao comprar salsa fresca, escolha os maços com galhos firmes e as folhas de um verde intenso. Folhas murchas ou amareladas indicam que ela passou do ponto ou está estragada.

A salsa fresca deve ser lavada imediatamente antes do uso, pois é muito frágil. O melhor modo de lavá-la é colocá-la numa tigela com água fria e agitá-la com as mãos. Isso fará a sujeira se desprender. Retire os galhos da água, esvazie a tigela, encha-a com água limpa e repita o processo até não restar nenhuma sujeira na água. Seque a salsa antes de cortá-la.

ESPECIARIAS

EM SEMENTE OU EM PÓ?

Sempre que possível, compre as sementes inteiras (por exemplo, cominho, coentro) em vez de em pó, porque este perde o sabor mais rapidamente e as sementes podem ser facilmente moídas num pilão.

Embora ervas e especiarias secas estejam disponíveis nos supermercados, tente encontrar uma loja de especiarias perto da sua casa, pois frequentemente essas lojas têm grande variedade de produtos mais frescos e de melhor qualidade. Assim como no caso de outras especiarias secas, procure comprar produtos orgânicos, que lhe darão mais certeza de não haver irradiação.

Tanto as sementes quanto o pó devem ser mantidos em vidros hermeticamente fechados e guardados em lugar escuro, fresco e seco. Nessas condições o cominho em pó, por exemplo, dura seis meses, enquanto suas sementes se mantêm frescas por um ano.

CANELA

A canela é a casca interna de uma árvore perene tropical.

Apresenta-se na forma de pedaços de casca com as duas laterais enroladas para dentro, o que lhe dá o aspecto de um pergaminho. As tiras marrom-claras são geralmente finas, pois a casca exterior porosa foi raspada. As melhores variedades são claras. A canela é muito parecida com a cássia, e nos Estados Unidos as duas quase não se distinguem, embora a cássia tenda a dominar o mercado.

A cássia e a canela têm usos semelhantes, mas por ser mais delicada, a canela é mais utilizada em sobremesas. Ela é comumente empregada em bolos e pudins, sobremesas de chocolate e para aromatizar frutas, particularmente banana e maçã.

CARDAMOMO

O cardamomo tem um sabor forte, peculiar, com uma fragrância intensa. Ingrediente comum na culinária indiana, é frequentemente usado em preparações que vão ao forno nos países nórdicos. Embora seja uma das especiarias mais caras por peso, basta muito pouco para seu sabor aparecer. O melhor modo de armazená-lo é em sua vagem, porque as sementes expostas ou moídas perdem logo o sabor. Contudo, o cardamomo moído de alta qualidade, mais fácil de encontrar e mais barato, é um substituto aceitável. Para as receitas que pedem cardamomo na vagem, a proporção utilizada em substituição é 10 vagens para 1½ colher (chá) de cardamomo moído.

CRAVO-DA-ÍNDIA

Os cravos-da-índia são botões de flores secas de uma árvore, extremamente aromáticos. Originários da Indonésia, são empregados como especiaria na culinária do mundo inteiro.

A MOAGEM DAS ESPECIARIAS

As especiarias inteiras podem ser trituradas em moedor de café pequeno, processador de alimentos pequeno, moedor de pimenta ou pilão.

Para limpar o moedor de café depois de triturar especiarias, acrescente uma pequena quantidade de açúcar e processe. Depois descarte o açúcar.

Tabela de medidas simples

Medidas de cozinha equivalentes

1 xícara (chá)
líquido 240 ml
farinha, açúcar de confeiteiro 100 g
açúcar, arroz, lentilha 200 g
semolina 165 g
trigo, grão-de-bico, feijão 180 g
fubá, farinha de arroz 120 g

1 colher (sopa)
manteiga 15-20 g
arroz 15 g
farinha 7,5 g
semolina 12 g
açúcar cristal 15 g
açúcar de confeiteiro 8 g
sal 18 g
fubá, farinha de arroz 6,5 g

Medidas de cozinha equivalentes

Medidas tradicionais	Equivalência
uma borrifada	¼ de colher (chá)
uma pitada	⅛ de colher (chá)
suco de 1 limão	3 colheres (sopa)
suco de 1 laranja	½ xícara (chá)

Medidas de cozinha equivalentes

Medidas tradicionais / Equivalência

	colher (chá)	colher (sopa)	xícara (chá)
colher (chá)	1	1/3	1/48
colher (sopa)	3	1	1/16
xícara (chá)	48	16	1

Medidas de líquidos ou volumes (aproximadas)

1 colher (chá)	1/3 de colher (sopa)	5 ml
1 colher (sopa)	3 colheres (chá)	15 ml
2 colheres (sopa)	1/8 de xícara (chá) – 6 colheres (chá)	30 ml
1/4 de xícara (chá)	4 colheres (sopa)	60 ml
1/3 de xícara (chá)	5 colheres (sopa) + 1 colher (chá)	80 ml
1/2 xícara (chá)	8 colheres (sopa)	120 ml
2/3 de xícara (chá)	10 colheres (sopa) + 2 colheres (chá)	160 ml
3/4 de xícara (chá)	12 colheres (sopa)	180 ml
7/8 de xícara (chá)	14 colheres (sopa)	210 ml
1 xícara (chá)	16 colheres (sopa)	240 ml
2 xícaras (chá)	32 colheres (sopa)	480 ml
1 litro	4 xícaras (chá)	1.000 ml

Métodos de cozimento

REFOGAR

Trata-se de uma técnica em que os alimentos são cozidos com pouca gordura, em fogo relativamente alto. Em geral, emprega-se fogo alto durante um período relativamente curto, com o objetivo de dourar os alimentos, preservando-lhes a cor, a umidade e o sabor. Pode-se dourá-los simplesmente para acrescentar sabor e melhorar a aparência antes de usar qualquer outro processo para terminar de prepará-los.

Quando se refoga é importante que (1) o óleo seja aquecido antes, para que o alimento doure bem e não absorva a gordura; (2) que a panela seja baixa e grande o suficiente para a comida não ficar amontoada, pois assim os ingredientes douram rapidamente, em vez de cozinhar em seu próprio suco; e (3) que o alimento esteja completamente seco, para evitar que cozinhe.

Enquanto a comida refoga, a regra de ouro é ficar por perto. Se você precisar se afastar, tire a panela do fogo e conclua o processo depois.

FRITAR EM MUITO ÓLEO

A fritura em muito óleo é uma técnica em que se submerge os ingredientes em óleo ou gordura quentes. Normalmente se utiliza uma panela funda, uma frigideira ou uma wok.

Pelo fato de não usar água, a fritura em muito óleo é classificada como técnica de cozimento a seco, e em razão da alta temperatura envolvida e da manutenção do óleo sempre na mesma temperatura, os alimentos cozinham com extrema rapidez. Se realizada adequadamente, a comida não fica excessivamente gordurosa, porque a umidade do alimento repele o óleo: o óleo quente atinge a água existente no alimento, lançando seu vapor de dentro para fora.

Se o óleo estiver suficientemente quente e o alimento não ficar imerso nele por tempo demasiado, sua penetração se limitará à superfície externa. Contudo, se ele for frito por tempo demasiado, uma quantidade exagerada de água se perderá e o óleo começará a penetrar o alimento. A temperatura correta para a fritura depende da espessura e do tipo do alimento, mas na maioria dos casos fica entre 175°C e 190°C.

Um modo prático de verificar se o óleo está na temperatura correta é colocar um pedacinho de pão e observar se ele fica dourado em 10-15 segundos.
Não frite grandes quantidades de uma só vez, senão a temperatura do óleo cairá e o alimento irá absorver muita gordura.

FRITAR EM POUCO ÓLEO

É uma técnica em que o alimento cozinha em pequena quantidade de gordura ou óleo, numa panela rasa preaquecida ou numa chapa de metal, em temperatura alta. Trata-se de um processo que exige cuidado e atenção constantes. O resultado deve ser crocante e ligeiramente dourado, com poucos vestígios de gordura.

O objetivo dessa técnica é (1) melhorar o sabor dos alimentos em estado natural; (2) dourar o alimento para que ele tenha uma textura diferente; e (3) cozinhá-lo rapidamente, em geral para consumo imediato.

Ela depende do óleo como meio de transferência de calor e da temperatura correta para reter a umidade do alimento. O lado superior exposto permite, ao contrário da fritura em muito óleo, a perda de pouca umidade, e o contato com o fundo da panela gera uma cor dourada. Em razão da cobertura parcial, o alimento deve ser virado pelo menos uma vez para cozinhar dos dois lados.

As vantagens de se usar menos óleo são práticas: não é preciso dispor de muito óleo, e o tempo para aquecê-lo é também muito menor.

Geralmente se usa uma frigideira para essa técnica. Quando se usa uma panela funda com pouco óleo a sujeira resultante é menor, mas a formação de mais água ao redor do alimento costuma prejudicar seu preparo.

TOSTAR

Esse processo acentua o sabor e o aroma de especiarias, como cominho e coentro, e sementes, como pinhão, nozes, amêndoas, sementes de girassol e gergelim.

Para tostar, aqueça bem uma frigideira rasa e de fundo grosso em fogo médio. Acrescente o ingrediente escolhido; toste por 2-5 minutos ou até que as sementes fiquem fragrantes e bem tostadas, mexendo ou agitando a frigideira constantemente para evitar que queimem. Retire do fogo.

É preciso ter em mente que embora as sementes e as nozes tostadas tenham um sabor muito mais pronunciado, seu valor nutricional se reduz.

UNIVERSIDADE ESPIRITUAL MUNDIAL BRAHMA KUMARIS

A Universidade Espiritual Mundial Brahma Kumaris é uma organização internacional que atua em todos os níveis da sociedade visando uma mudança positiva. Criada em 1937, a universidade tem agora mais de 8.500 centros em mais de cem países.

Reconhecendo a bondade intrínseca das pessoas, a Universidade ensina um método prático de meditação que as ajuda a entender melhor sua força e seu valor interno e a pô-los em prática em sua vida. Cursos e seminários incentivam a espiritualidade na vida cotidiana e incluem o pensamento positivo, a superação da raiva, a vida sem tensões e o trabalho da autoestima. Os alunos também são levados a participar de cuidados médicos, trabalho social, educação, atuação em prisões e outros ambientes comunitários.

A Academia para um Mundo Melhor, que faz parte da universidade e tem sede em Mount Abu, no Rajastão, um estado da Índia, oferece aos indivíduos de todas as profissões oportunidades para um aprendizado inovador ao longo da vida. A universidade também sustenta o Hospital Global e Centro de Pesquisas em Mount Abu.

Todos os cursos e atividades são oferecidos gratuitamente.

SEDES NO BRASIL

SEDE NACIONAL

Rua Dona Germaine Burchard, 589
CEP: 05002-062 – Água Branca, São Paulo-SP
Tel.: (11) 3864-3694 ou 3864-2639
E-mail: sao.paulo@br.bkwsu.org

www.bkpublications.com, email: enquiries@bkpublications.com

SEDES REGIONAIS

NORTE

306 Sul Avenida LO 5 Lote 17
CEP: 77021-026 – Palmas-TO
Tel.: (63) 3215-5960
E-mail: palmas@br.bkwsu.org

NORDESTE

Rua Rockfeller, 80
CEP: 40070-160 – Salvador-BA
Tel.: (71) 3328-0863
E-mail: salvador@br.bkwsu.org

CENTRO-OESTE

SCLRN 711, bloco G, loja 27
CEP: 70750-557 – Brasília-DF
Tel.: (61) 3447-6793
Email: brasilia@br.bkwsu.org

SUDESTE

Avenida Nossa Senhora de Copacabana, 103, sobreloja 204
CEP: 22020-000 – Copacabana, Rio de Janeiro-RJ
Tel.: (21) 2275-7693
Email: riodejaneiro@br.bkwsu.org

Rua Industrial José Costa, 587
CEP: 30460-550 – Nova Granada, Belo Horizonte-MG
Tel.: (31) 3371-9802
Email: belo.horizonte@br.bkwsu.org

SUL

Rua Jorge Naaman, 47
CEP: 93020-680 – Centro, São Leopoldo-RS
Tel.: (51) 3592-6466
Fax: (51) 3592-6466
Email: sao.leopoldo@br.bkwsu.org

Para mais sedes no Brasil consulte:
http://www.bkwsu.org/brazil/sedes